北大版新一代对外汉语教材·世界汉语教材系列

新标准汉语
New Standard Chinese

初级篇　Elementary Level
第一册　Book 1

主　编：方　铭
副主编：刘松江
顾　问：仲哲民

北京大学出版社
北　京

图书在版编目（CIP）数据

新标准汉语. 初级篇. 第一册 / 方铭主编. —北京：北京大学出版社，2004.11
（北大版新一代对外汉语教材·世界汉语教材系列）
ISBN 7-301-07777-7

Ⅰ. 新… Ⅱ. 方… Ⅲ. 汉语－对外汉语教学－教材 Ⅳ. H195.4

中国版本图书馆CIP数据核字（2004）第101470号

书　　　名：新标准汉语 初级篇（第一册）
著作责任者：方　铭　主编
责 任 编 辑：刘　正
标 准 书 号：ISBN 7-301-07777-7/H·1124
出 版 发 行：北京大学出版社
地　　　址：北京市海淀区成府路205号　100871
网　　　址：http://cbs.pku.edu.cn
电　　　话：邮购部 62752015　发行部 62750672　编辑部 62752028
电 子 信 箱：lozei@126.com
印　刷　者：**北京大学印刷厂**
经　销　者：新华书店
787毫米×1092毫米　16开　12.25印张　271千字
2004年11月第1版　2004年11月第1次印刷
定　　　价：60.00元（附赠2张CD）

Introduction to New Standard Chinese

—Suitable for High School, University and Adult Learners

Elementary Level · 2 Book/CDs 40 Lessons

Elementary Level teaches the vocabulary and grammar appropriate for HSK(Hanyu Shuiping Kaoshi, Chinese Proficiency Test) Level 1−3. In addition to basic words and practical sentence patterns, lesson 1−10 also teaches *Pinyin*, to help new learners with tones and rules for pronunciation.

Main Contents of Each Lesson:

Lessons 1-10

(1) **Conversation and Text:** Practical, easy-to-command phrases and commonly used vocabulary are introduced. Texts are displayed in Chinese characters , *Pinyin* and English translation.

(2) **New Words:** At this level, learners master (on average) 20 new words per lesson with the focus on use of the words. All new words are displayed in simplified Chinese characters and traditional Chinese characters (in brackets) for reference. *Pinyin*, part of speech and English translation are also provided.

(3) ***Pinyin*:** *Pinyin* is taught first by focusing on the four tones. Beginning with single, then dual and finally, multi-syllables, rules of pronunciation are clearly explained.

(4) **Pronunciation Practice:** Exercises are provided to train the ear to distinguish tones, finals and initials.

(5) **Notes:** Additional materials and explanations of *Pinyin* are provided both in Simplified Chinese and English.

Lessons 11-40

(1) **Conversation and Text:** Dialogue and text are based on the topics, with focus on the communication function.

(2) **Grammar:** Sentences with a verb as the predicate, sentences with an adjective as the predicate, sentences with a noun as the predicate, four different types of interrogative sentences, double objects, auxiliary verbs, six types of complements, object position, preposition structure, and more are all covered.

(3) **Scenes:** Settings in airport, railway station, hotel, bank, post office, classroom, dining hall, restaurant, cinema, hospital and friends' home, etc. are included.

(4) **Communication Items:** Greetings, introductions, asking for the time, date, directions, talking about the weather, hobbies, debates, going to the hospital, the cinema, buying tickets, exchanging money, seeking advice,etc.are included.

(5) **Exercises:** Comprehension exercises to see how well the students understand the textstanding of the text .

(6) **New Words:** Up to 40 new words in each lesson.

(7) **Grammar Notes:** Explanations of Chinese grammar.

(8) **Grammar Exercises:** The exercises are designed based on the grammar in each lesson, such as "Fill in the Blanks", "Restructuring Sentences", "Making words", "making Sentences" and more.

(9) **Oral Practice:** Oral practice includes imitation, substitution, selection, and collocation sentence making,etc.

(10) **Readings:** 1–2 complementary text materials are accompanied with simplifed Chinese, *pinyin* and English(new words from these sections are provided separately). "Choose the Right Answer" and "Answer the Questions" are designed after each reading.

Students can master 800–900 new words and phrases, 1000–1500 Chinese characters after fulfilment of elementary Chinese learning task.

Intermediate Level · 2 Book/CDs 40 Lessons

Intermediate level can advance to the vocabulary and grammar of HSK level 1–6. Reading , listening, speaking and writing skills are expected to be improved by focusing on reading, litsening comprehension and oral practice.

Main contents of Each Lesson:

(1) **Text:** Each lesson contains both a dialogue and narration provided on a single topic or a long narration. Texts are displayed in simplified and traditional Chinese with English translation.

(2) **Grammar:** Different use of auxiliary word "了", pivotal sentences, fractions and percentages, "把" sentences, passive voice, comparative forms, reduplication of adjectives, etc.

(3) **Scenes:** Settings in airport, railway station, hotel, bank, post office, classroom, dining hall, restaurant, cinema, hospital and friends' home, etc. are included.

(4) **Communication Items:**Inquiry, appreciation, interview, suggestion, discussion, debate, etc.

(5) **Exercises:** Comprehension exercises to see how well the students understand the text.

(6) **New Words:**20–50 new words per lesson.

(7) **Grammar Notes:**Explanations of designed the Chinese grammar.

(8) **Grammar Exercises:** The exercises are designed based on the grammar in each lesson, such as "Fill in the Blanks", "Restructuring Sentences", "Creating Phrases", "Creating Sentences", etc.

(9) **Oral Practice:** Oral practice includes imitation, substitution, selection, and collocation sentences making,etc.

(10) **Readings:** 1–2 complementary text materials are accompanied with simplified Chinese, are

provided for use in conjunction with the main text (new words are given separately), combined with exercises such as "Choose the Right Answer" and "Answer the Questions".

Students can master 1200–1400 new words and phrases, 2500–3000 Chinese characters after fulfilment of Intermediate Chinese learning task.

The requirements of the USA SAT-II test have also been taken into account in the design of the exercises for the convenienceof students to take the SAT-II Chinese (foreign language) test in US.

Advanced Level · 2 Book/ CDs 20 Lessons

After Advanced Chinese learning, students can achieve HSK level 6–8,orbe eligible for applying for graduate school in Chinese university, or work at Chinese language environment. Oral expression and composition are emphasized in advanced Chinese learning as well as strengthening reading and vocabulary training, Chinese culture and literature are incorporated into teaching and learning.

Main Contents of Each Lesson:

(1) **Text:** articles representing different writing styles are included,traditional Chinese is accompanied in the section of new words.

(2) **New Words:** vocabulary is strenthened.

(3) **New Words and Phrases Explained in Chinese:** Easy-to-understand Chinese-Chinese explanation of New words, phrases and idioms are in brief.

(4) **Writing Tutorials:** systematic knowledge of practical Chinese writing, including basic elements of writing and business writing.

(5) **Writing Practice:** systematic training of practical Chinese writing, including basic elements of writing and business Chinese writing.

(6) **Oral Practice:** Oral practice is designed according to the topic of the text .

(7) **Group Study:** Teamwork assignments on foster students' research ability in Chinese, improve students' spoeaking skill.

新标准汉语介绍

—— 适合高中、大学和成年人使用

初级 2册 教材(含CD) 共40课

主要包括汉语水平考试(HSK) 1-3级的词汇和语法。除了基本的词汇和实用句型以外，1-10课以拼音为主，重点介绍汉语语音规律，帮助初学者掌握声调和发音规则。

每课的主要内容:

1-10课

(1) 对话和课文：介绍实用、易掌握的短语和常用词汇。课文内容以汉字、拼音和英文对照三种形式同时呈现。

(2) 生词：每课需掌握的词汇量(平均)为20个左右。教学重点是对词汇的实际应用。每个生词都会以简体和繁体汉字（简体后括号内）显示，并注明拼音、词性、英文翻译。

(3) 拼音:作为初学者的语音工具，初学拼音时的重点是四个声调。发音学习从单音节开始，然后逐步过渡到双音节和多音节。拼音规则和练习都有清楚说明。

(4) 语音练习：包括听力练习，辨别声调、韵母和声母的练习。

(5) 注释：有关课程的附加资料和汉语语音的附加说明以简体汉字和英文两种形式呈现。

11课-40课

(1) 对话和课文：以话题为主的对话和课文，重视交际中的语用。

(2) 语法：包括动词谓语句；形容词谓语句；名词谓语句；疑问句的四种主要形式；双宾语；能愿动词；六种补语；宾语结构；介词结构等。

(3) 具体场景：包括在飞机场、火车站、饭店、银行、邮局、教室、食堂、饭馆、电影院、医院、朋友家等日常生活中的场所。

(4) 交际功能项目：包括问候、介绍、问时间、问日期、问路、谈天气、谈爱好、争论问题、看病、看电影、买票、换钱、寻求建议等。

(5) 课文练习：对每课课文内容理解程度的练习。

(6) 生词：每课需掌握的生词增加到40个左右。
(7) 语法注释：讲解中文语法构成。
(8) 语法练习：根据每课的所学语法内容设计练习，包括填空、调整词序、组词语、造句等。
(9) 口语练习：包括模仿、替换、选择、搭配词语、词组、句子等练习。
(10) 阅读：每课有1-2篇配合课文的阅读材料，配有拼音和英文翻译(其中的生词单独列出)。每篇阅读文章都配有练习，包括选择题和问答题等。

完成初级，学生能掌握800-900个生词和短语，1000-1500个汉字。

中级 2册 教材(含CD) 共40课

中级在初级的基础上，进一步学习与汉语水平考试(HSK) 1-6级相适应的词汇和语法。课程主要从听、说、读、写四个方面提高学生的汉语交际能力，阅读理解，听力和口语是本阶段的教学重点。

每课的主要内容:
(1) 课文：第一册包括同一话题的对话和课文，第二册每课课文为一篇较长的叙述体课文。课文提供简体汉字和英文翻译。
(2) 语法：包括助词“了”的多种用法；兼语句；分数和百分数；“把”字句；被动句；比较级和形容词的重叠等。
(3) 具体场景：包括在校园、医院、体育馆、商店、接待处、办公楼、饭店、旅馆等日常场所。
(4) 交际功能项目：包括询问、致谢、面试、建议、讨论、争论等。
(5) 课文练习：测试对每课课文内容的理解程度。
(6) 生词：每课需掌握的生词20-50个。
(7) 语法注释：讲解中文语法构成。
(8) 语法练习：根据每课的所学语法内容设计练习，包括填空、调整词序、组词语、造句等。
(9) 口语练习：包括模仿、替换、选择、搭配词语、词组、句子等练习。
(10) 阅读：每课有1-2篇配合课文的阅读材料，配有拼音和英文翻译(其中的生词单独列出)。每篇阅读文章都配有练习，包括选择题和问答题等。

完成中级，学生能掌握1200-1400个生词和短语，2500-3000个汉字。
中级的练习及综合测试部分的设计也参考了美国 SAT-II 中的汉语考试要求，以便于学生参加美国SAT-II的汉语（外语）考试。

高级 2册 教材(含CD) 共20课

学完高级，学生可达到汉语水平考试(HSK) 6-8级的水平，可报考中国大学的研究生院，也可在以汉语为主要语言的工作环境里工作。高级以口语表达和写作为教学重点，同时深化阅读和词汇技能，并融合了中国的文化和文学知识。

每课的主要内容：

(1) 课文：包括不同写作风格的文章。每篇文章生词部分都配有繁体汉字。
(2) 生词：深化词汇的理解和使用。
(3) 生词和词语的汉语注释：用中文对生词、短语和成语进行简单易懂的解释。
(4) 写作指导：系统介绍实用汉语写作知识，包括从基本写作的要素到商务汉语写作。
(5) 写作练习：系统的实用汉语写作练习，包括从基本写作的要素到商务汉语写作。
(6) 口语练习：根据课文的话题而设计的口语表达练习。
(7) 小组学习：学习小组可以培养学生用汉语进行研究的能力，同时进一步提高学生的口语表达能力。

目　录

Table of Contents

第一课　你好！

简单句型与基础词汇 Simple Sentences and Basic Words

nǐ hǎo
你好！　Hello!

nǐ hǎo
你好！　Hello!

nǐ shēn tǐ hǎo ma
你身体好吗？
How are you?

hěn hǎo
很好！
I am fine!

nǐ bà ba mā ma hǎo ma
你爸爸妈妈好吗？
How are your parents?

tā men dōu hěn hǎo
他们都很好！
They are fine!

姐姐 older sister	哥哥 older brother	弟弟 younger brother	妹妹 younger sister
朋友 friend	同学 classmate	同事 colleague	老师 teacher

生词 New Words

1.	你(你)	*pron.*	nǐ	you
2.	好(好)	*adj.*	hǎo	good
3.	吗(嗎)	*aux.*	ma	*used at the end of a sentence to make it a general question*
4.	很(很)	*adv.*	hěn	very
5.	身体(身體)	*n.*	shēntǐ	body; health
6.	爸爸(爸爸)	*n.*	bàba	father; dad
7.	妈妈(媽媽)	*n.*	māma	mother; mom
8.	他们(他們)	*pron.*	tāmen	they
9.	都(都)	*adv.*	dōu	both; all
10.	姐姐(姐姐)	*n.*	jiějie	older sister
11.	哥哥(哥哥)	*n.*	gēge	older brother
12.	弟弟(弟弟)	*n.*	dìdi	younger brother
13.	妹妹(妹妹)	*n.*	mèimei	younger sister
14.	朋友(朋友)	*n.*	péngyou	friend
15.	同学(同學)	*n.*	tóngxué	classmate
16.	同事(同事)	*n.*	tóngshì	colleague
17.	老师(老師)	*n.*	lǎoshī	teacher

汉语拼音 Chinese Pinyin

韵母 finals : a o e i u ü

声母 initials : b p m f

声调 tones : 四个声调与轻声 Four Tones and the Neutral Tone

声母、韵母拼合表 I Table of the Initials-Final Combinations I

	a	o	e	i	u	ü
b	ba	bo		bi	bu	
p	pa	po		pi	pu	
m	ma	mo	me	mi	mu	
f	fa	fo			fu	

声调表 Tones Table

ā	á	ǎ	à
ē	é	ě	è
ō	ó	ǒ	ò
ī	í	ǐ	ì
ū	ú	ǔ	ù
ǖ	ǘ	ǚ	ǜ
bā	bá	bǎ	bà
pā	pá	pǎ	pà
mī	mí	mǐ	mì
bī	bí	bǐ	bì

注释 Notes

一、汉语拼音

Chinese *Pinyin*

汉语的音节是由声母、韵母和声调组成的。

Chinese syllable Consists of initials, finals and tones.

dǒng

“d” 是声母，“ong” 是韵母， “V” 是标在韵母 “o” 上的声调。

‘d’ is the initial and “ong” is the final. “v” is the tone-mark above the final “o”.

二、“i u ü” 自成音节时的拼写法

Spelling Rule for “i u ü”without Preceding Initials

1. “i” 在自成音节时，前边必须加写 “y”。

“y” must bc added before “i” when “i” has no preceding initial.

i ——yī 是汉字 “一” 的拼音。

yī is the *pinyin* of Chinese character “一”(one).

2. “u” 在自成音节时，前边必须加写 “u”。

“w” must be added before “u” when “u” has no preceding initial.

u ——wǔ 是汉字 “五” 的拼音。

wǔ is the *pinyin* of Chinese character “五”(five).

3. “ü” 在自成音节时，前边必须加写 “y”，而且 “ü” 上的两个点去掉。

“y” must be added before “ü” when “ü” has no preceding initial; in addition, the two dots above “ü” should be omitted.

ü——yú 是汉字 “鱼” 的拼音。

yú is the *pinyin* of Chinese character “鱼”(fish).

三、汉语的四个声调和标志 Four Tones and Their Marks

声调：汉语的每一个字都有一个声调。声调在汉语里起着很重要的作用。汉语有四个基本声调。如图：

Tones: Tones play a very important role in Chinese, and each Chinese character has one tone. There are four tones in Chinese. See the following diagram:

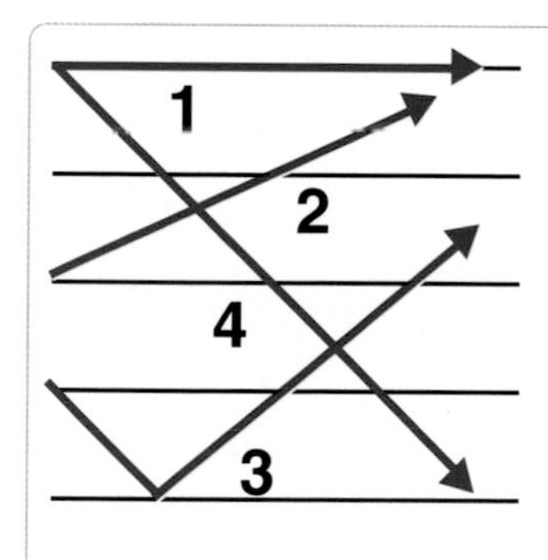

1. 一声调值高而平。
   The first tone is high and flat.
2. 二声从中调值起，升至最高调值。
   The second tone rises from the middle to the top.
3. 三声从低调值开始降低，然后稍有升高。
   The third tone curves from low to lower and then rises slightly.
4. 四声从调值最高开始，直降到底。
   The fourth tone falls from the top to the bottom .

汉语的四个声调分别用 “ˉ ˊ ˇ ˋ” 表示第一声、第二声、第三声、第四声，声调标在音节里开口度最大的一个元音上边。汉语中单元音只有六个，按照开口度从大到小的顺序是 “a o e i u ü”。但是 “i u” 是例外，当他们一起出现时，声调标在后面一个元音上边。

The first tone, the second tone, the third tone, and the fourth tone are marked by "ˉ ˊ ˇ ˋ" respectively, and these four tones are placed over the vowel with the largest degree of mouth-opening in the syllable. There are only six simple vowels in Chinese: "ɑ o e i u ü" according to the order of mouth-opening from the biggest to the smallest. "i u" are exceptions, where the tone should be placed over the vowel following them when they appear together.

bào tóu yuàn tái tuì jiǔ

练习 Exercises

一、替换 Substitution

A: 你爸爸好吗？
B: 很好！

妈妈 哥哥 姐姐 弟弟 妹妹
朋友 同学 同事 老师

A: 你爸爸妈妈好吗？
B: 他们都很好！

哥哥 姐姐 弟弟妹妹 同学 老师

二、辨音 Distinguish the Sounds

辨别下列声母和韵母 Distinguish the Following Initials and Finals

声母和韵母 Initials and Finals	回答 Answers
p m b	
b p f	
o e a	
i u e	
a i o	
o u e	
a i ü	
o u i	

辨别下列声调 Distinguish the Following Tones

声调 Tones	回答 Answers
mā má mǎ mà	
pō pó pǒ pò	
pī pí pǐ pì	
bā bá bǎ bà	
yī yí yǐ yì	
wū wú wǔ wù	
fū fú fǔ fù	
mī mí mǐ mì	
bū bú bǔ bù	
bō bó bǒ bò	
mū mú mǔ mù	

第二课 你忙吗？

简单句型与基础词汇 Simple Sentences and Basic Words

nǐ máng ma
你忙吗？
Are you busy?

wǒ hěn máng / wǒ bú tài máng
我很忙。/ 我不太忙。
I am very busy. / I am not very busy.

jīn tiān tiān qì zěn me yàng
今天天气怎么样？
What is the weather like today?

tài hǎo le / hǎo jí le / zhēn bú cuò
太好了。/ 好极了。/ 真不错。
It is fine. / It is extremely good. / Not bad, really.

nǐ lěng ma
你冷吗?
Do you feel cold?

fēi cháng lěng
非常冷。
Yes, it is very cold.

热	hot	累	tired	积极	active
高	high	努力	hard-working	高兴	happy
懂	understand	认真	earnest		

生词 New Words

1.	忙(忙)	*adj.*	máng	busy
2.	我(我)	*pron.*	wǒ	I;me
3.	太(太)	*adv.*	tài	too
4.	今天(今天)	*n.*	jīntiān	today
5.	天气(天氣)	*n.*	tiānqì	weather
6.	怎么样(怎麼樣)	*adv.*	zěnmeyàng	how
7.	……极了(极了)	*adv.*	……jíle	terribly; extremely
8.	真(真)	*adv.*	zhēn	really
9.	不错(不錯)		bú cuò	not bad
10.	冷(冷)	*adj.*	lěng	cold
11.	非常(非常)	*adj.*	fēicháng	very
12.	热(熱)	*adj.*	rè	hot
13.	饿(餓)	*adj.*	è	hungry
14.	懂(懂)	*v.*	dǒng	understand; know
15.	累(累)	*adj.*	lèi	tired
16.	努力(努力)	*adj.*	nǔlì	hard-working
17.	认真(認真)	*adj.*	rènzhēn	earnest
18.	积极(積極)	*adj.*	jījí	active
19.	高兴(高興)	*adj.*	gāoxìng	joyful; happy

汉语拼音 Chinese Pinyin

韵母 finals : ai ei ao ou

声母 initials : d t n l

声调 tones : 轻声与三声变调 The Neutral Tone and the Sandhi of the Third Tone

声母、韵母拼合表 II Table of the Initial-final Combination II

	a	u	i	ü	ai	ei	ao	ou
d	da	du	di		dai	dei	dao	dou
t	ta	tu	ti		tai		tao	tou
n	na	nu	ni	nü	nai	nei	nao	nou
l	la	lu	li	lü	lai	lei	lao	lou
b	ba	bu	bi		bai	bei	bao	
p	pa	pu	pi		pai	pei	pao	pou

轻声 The Neutral Tone

bàba	māma	gēge	nǎinai	dìdi
mèimei	péngyou	tāmen	lǎopo	jiějie

第三声与第三声的拼合 The Combinations of Two Third Tones

nǐhǎo	dǎdǔ	dǎotǐ	fǎbǎo	mǎpǐ

注释 Notes

一、双音节 Disyllabic Words

在现代汉语中双音节词汇占70%—80%，掌握双音节发音的特点是学好汉语的一个关键，尤其要掌握双音节声调变化的规律。

In modern Chinese, 70%-80% of words are disyllabic. Mastering their characteristics, especially the rules of tone sandhi, is the key to learning Chinese well.

二、轻声 The Neutral Tone

轻声是一种轻短而又模糊的调子。轻声音节本来有一定的声调，由于音节弱化，发生了音变。

A neutral tone is light, short, and vague. The neutral tone syllable originally has a certain tone. The lightening of the syllable causes the tone sandhi.

吗	ma	的	de	了	le

普通话双音节词里也存在轻声变化，即某些双音节词的后一个字在读的时候又轻又短。

There are also some neutral tone sandhi of disyllabic words in Chinese. The "neutral tone" occurs when the tone of the last character of some disyllabic words is read.

爸爸	bàba	father
妈妈	māma	mother
哥哥	gēge	older brother
姐姐	jiějie	older sister
我们	wǒmen	we; us
你们	nǐmen	you
他们	tāmen	they, them
我的	wǒde	my; mine
你的	nǐde	your; yours
他的	tāde	his

桌子	zhuōzi	table
椅子	yǐzi	chair

三、三声＋三声的变调 Tone Sandhi of the Third Tone + the Third Tone

当两个第三声相连时，前一个第三声念成第二声。

When a third tone is followed by another third tone, the first third tone should be pronounced as a second tone.

你好	nǐhǎo	níhǎo
很好	hěnhǎo	hénhǎo

四、“n l”与“u ü”相拼时的书写

Writing Rules When “n l” Are Combined with “u ü”

“n l”与“ü”相拼时，“ü”上的两个点要保留；以区别“n l”与“u”的拼写。

When “n l” are combined with “ü”, the two dots over “ü” should be reserved for distinguishing it from the case when “n l”are combined with “u”

nǔ	nǚ	lù	lǜ

练习 Exercises

一、替换 Substitution

A: 你弟弟忙吗？

B: 他忙极了。

累　　高兴　　努力　　认真

A: 今天天气怎么样?
B: 今天天气不太热。

很热　热极了　真不错　太好了　非常冷

二、辨音 Distinguish the Sounds

辨别下列声母和韵母 Distinguish the Following Initials and Finals

声母和韵母 Initials and Finals		回答 Answers
po	bo	
ba	pa	
tu	du	
dao	tao	
lao	lou	
bai	pei	
nao	lou	

辨别下列声调 Distinguish the Following Tones

声调 Tones				回答 Answers
māo	máo	mǎo	mào	
mōu	móu	mǒu	mòu	
pāi	pái	pǎi	pài	
bāo	báo	bǎo	bào	
fōu	fóu	fǒu	fòu	
nāi	nái	nǎi	nài	
nēi	néi	něi	nèi	

第三课　这是什么？

简单句型与基础词汇 Simple Sentences and Basic Words

zhè shì shén me
这是什么？
What is this?

zhè shì píng guǒ
这是苹果。
It is an apple.

nà shì shén me
那是什么？
What is that?

nà shì bàn gōng lóu
那是办公楼。
It is an office building.

zhè xiē dōu shì wǒ de tóng xué
这些都是我的同学。
These are all my classmates.

nà xiē dōu shì wǒ de péng you
那些都是我的朋友。
Those are all my friends.

西瓜	watermelon	荔枝	lichee	图书馆	library
香蕉	banana	办公楼	office building	体育馆	gymnasium
桃子	peach	宿舍楼	lodging house		

生词 New Words

1.	这(這)	*pron.*	zhè	this
2.	是(是)	*v.*	shì	is
3.	什么(什麼)	*pron.*	shénme	what
4.	苹果(蘋果)	*n.*	píngguǒ	apple
5.	那(那)	*pron.*	nà	that
6.	教学楼(教學樓)	*n.*	jiàoxuélóu	school building
7.	些(些)	*m.*	xiē	some
8.	的(的)	*aux.*	de	of
9.	西瓜(西瓜)	*n.*	xīguā	watermelon
10.	香蕉(香蕉)	*n.*	xiāngjiāo	banana
11.	桃子(桃子)	*n.*	táozi	peach
12.	荔枝(荔枝)	*n.*	lìzhī	lichee
13.	办公楼(辦公樓)	*n.*	bàngōnglóu	office building
14.	宿舍楼(宿舍樓)	*n.*	sùshèlóu	dormitory building; lodging house
15.	图书馆(圖書館)	*n.*	túshūguǎn	library
16.	体育馆(體育館)	*n.*	tǐyùguǎn	gymnasium

3

汉语拼音 Chinese Pinyin

韵母 finals : an en ang eng ong

声母 initials : g k h b — p d — t g — k

声母、韵母拼合表 III Table of the Initial-final Combinations III

	an	en	ang	eng	ong	e	u
g	gan	gen	gang	geng	gong	ge	gu
k	kan	ken	kang	keng	kong	ke	ku
h	han	hen	hang	heng	hong	he	hu
b	ban	ben	bang	beng			bu
p	pan	pen	pang	peng			pu
d	dan	den	dang	deng	dong	de	du
t	tan		tang	teng	tong	te	tu

半三声 The Half Third Tone

gǎnlái	gǔfèn	tǔdì	gǎigé	gǔdòng	gǔdào	děngdài	tǒnggài
kǔdǎn	bǔpàn	pǔtōng	bǎimáng	tǔfěi	kěyǐ	hǎohàn	kěngàn

注释 Notes

一、半三声 The Half Third Tone

第三声在第一声、第二声、第四声之前要改读为半三声，即只读原来第三声的前一半降调。

A third tone, when followed by a first tone, a second tone, or a fourth tone, usually becomes a "half third tone" that only falls but never rises since only the first half of the third tone is pronounced.

每天	měitiān	every day
每年	měinián	every year
每月	měiyuè	every month

二、声母里送气与不送气的相对关系

The Relation between Aspirated and Unaspirated Initials

“b－p d－t g－k”的关系是送气与不送气，送气时需要将口内的气流送出。练习时可在口前搭一片纸条，读送气音时，气流能将纸条吹起；读不送气音时，纸条不会被吹起。

The relation between “b－p d－t g－k” is the distinction between an aspirated sound and an unaspirated sound. The learner should put a piece of paper in front of his he mouth. When an aspirated sound is pronounced, the air stream will blow the paper up; otherwise the sound produced is unaspirated.

练习 Exercises

一、替换 Substitution

1. 这是什么？
   这是苹果。

   西瓜　香蕉　桃子　荔枝

2. 那是什么？
   那是教学楼。

   办公楼　宿舍楼　图书馆　体育馆

3. 这些都是我的同学。
   那些都是我的朋友。

   同事　老师

二、辨音 Distinguish the Sounds

辨别下列声母和声调 Distinguish the Following Initials and Tones

声母和声调 Initials and Tones			回答 Answers
dāng	dàng	dǎng	
téng	tēng	tèng	
měn	mèn	mēn	
lòng	lōng	lóng	
nàn	nán	nān	
hōng	hǒng	hòng	
gēn	gěn	kěn	
kǎi	gǎi	gài	
dāng	tāng	táng	
tóu	tòu	dòu	
bàng	pàng	páng	
pèng	bèng	béng	

第四课 你有几个哥哥？

简单句型与基础词汇 Simple Sentences and Basic Words

nǐ yǒu jǐ ge gē ge
你有几个哥哥？
How many brothers do you have?

wǒ yǒu yī ge gē ge
我有一个哥哥。
I have one brother.

nǐ yǒu jǐ ge mèi mei
你有几个妹妹？
How many sisters do you have?

wǒ yǒu liǎng ge mèi mei
我有两个妹妹。
I have two sisters.

nǐ yǒu jǐ ge zhōng guó péng you
你有几个中国朋友？
How many Chinese friends do you have?

wǒ yǒu wǔ ge zhōng guó péng you
我有五个中国朋友。
I have five Chinese friends.

三	three	八	eight	美国	America	加拿大	Canada
四	four	九	nine	法国	France	澳大利亚	Australia
六	six	十	ten	英国	the United Kingdom	俄罗斯	Russia
七	seven						

生词 New Words

1. 有(有)	*v.*	yǒu	have
2. 几(幾)	*pron.*	jǐ	how many, several, a few
3. 个(個)	*m.*	gè	*a measurement word for a person, an apple, etc.*
4. 一(一)	*num.*	yī	one; a
5. 两(兩)	*num.*	liǎng	two
6. 五(五)	*num.*	wǔ	five
7. 二(二)	*num.*	èr	two
8. 三(三)	*num.*	sān	three
9. 四(四)	*num.*	sì	four
10. 六(六)	*num.*	liù	six
11. 七(七)	*num.*	qī	seven
12. 八(八)	*num.*	bā	eight
13. 九(九)	*num.*	jiǔ	nine
14. 十(十)	*num.*	shí	ten
15. 十一(十一)	*num.*	shíyī	eleven
16. 二十(二十)	*num.*	èrshí	twenty

专有名词 Proper Nouns

1. 中国(中國) Zhōngguó the People's Republic of China
2. 美国(美國) Měiguó America
3. 法国(法國) Fǎguó France
4. 英国(英國) Yīngguó the United Kingdom
5. 加拿大(加拿大) Jiānádà Canada
6. 澳大利亚(澳大利亞) Àodàlìyà Australia
7. 俄罗斯(俄羅斯) Éluósī Russia

汉语拼音 Chinese Pinyin

韵母 finals: ia ie iao iou ian in iang ing iong

声母 initials: j q x

声调 tones: 一声 + 其他四个声调

The First Tone Plus the Other Four Tones

声母、韵母拼合表 IV Table of the Initial-final Combinations IV

	i	ia	ie	iao	iou	ian	in	iang	ing	iong
j	ji	jia	jie	jiao	jiu	jian	jin	jiang	jing	jiong
q	qi	qia	qie	qiao	qiu	qian	qin	qiang	qing	qiong
x	xi	xia	xie	xiao	xiu	xian	xin	xiang	xing	xiong
n	ni		nie	niao	niu	nian	nin	niang	ning	
l	li	lia	lie	liao	liu	lian	lin	liang	ling	
d	di		die	diao	diu	dian			ding	
t	ti		tie	tiao		tian			ting	

组合声调（第一声 + 第一、二、三、四和轻声）

Combined Tones (the First Tone plus the First, the Second, the Third, the Fourth and the Neutral Tones)

qīngdān	yānmín	fēngyǎ	dāndài	xiāoxi
tōngxiāo	fēnhóng	fēngxiǎn	gōngyì	xiūxi
jiābīn	jiātíng	dānbǎo	tiānfèn	fēngtou
gōngjiāo	jiāoqíng	xiūyǎng	dānjià	dānge
gōutōng	qīnqíng	gōuyǐn	fēnpèi	fēile

注释 Notes

一、ia 等自成音节时的书写方式和在前边有其他声母时的书写方式

The Way to Write "ia" When They Have No Preceding Initials, and the Cases When They Have Preceding Initials

"ia…"自成音节的书写方法，下列表格中左侧的拼音自成音节时，应改写成中间的样子。与声母拼写时，写成右边的样子。

"ia…" without preceding initials in the left column should be changed into the examples in the middle column. When there are preceding initials, they should be changed into the examples in the right column.

ia	ya	qia
ie	ye	qie
iao	yao	qiao
iou	you	qiu
ian	yan	qian
in	yin	qin

iang	yang	qiang
ing	ying	qing
iong	yong	qiong

注意："iou" 写成 "iu"，加了声母后 "o" 没有了。

Note: "iou" should be written as "iu". When an initial is added, "o" is omitted.

二、j q x + ü 的书写方式是 ü 两点去掉

The Way to Write "j q x + ü" Is to Omit the Two Dots over "ü".

下列左侧的拼音应改写成右边的样子。"ü" 上的两个点儿去掉。

The following Pinyin in the left column should be changed into the examples in the right column. The two dots over "ü" should be omitted.

jǖ	jū
qǖ	qū
xǖ	xū

三、一百以内称数法 Expressing Numbers Below One Hundred

	十	二十	三十	四十	五十	六十	七十	八十	九十
一	十一	二十一	三十一	四十一	五十一	六十一	七十一	八十一	九十一
二	十二	二十二	三十二	四十二	五十二	六十二	七十二	八十二	九十二
三	十三	二十三	三十三	四十三	五十三	六十三	七十三	八十三	九十三
四	十四	二十四	三十四	四十四	五十四	六十四	七十四	八十四	九十四
五	十五	二十五	三十五	四十五	五十五	六十五	七十五	八十五	九十五
六	十六	二十六	三十六	四十六	五十六	六十六	七十六	八十六	九十六
七	十七	二十七	三十七	四十七	五十七	六十七	七十七	八十七	九十七
八	十八	二十八	三十八	四十八	五十八	六十八	七十八	八十八	九十八
九	十九	二十九	三十九	四十九	五十九	六十九	七十九	八十九	九十九

4

练习 Exercises

一、替换 Substitution

1. 你有几个哥哥？
   我有一个哥哥。

   三 四 六 七 八 九
   弟弟 姐姐 妹妹 朋友 同事 老师

2. 你有几个中国朋友？
   我有五个中国朋友。

   四 六 七 八 九 十
   美国 法国 英国 加拿大 澳大利亚 俄罗斯

二、辨音 Distinguish the Sounds

辨别下列声母、韵母和声调
Distinguish the Following Initials , Finals and Tones

声母、韵母和声调 Initials , Finals and Tones			回答 Answers
xiǎo	xiào	xiù	
qiǎ	qiè	qiē	
qīng	qíng	qín	
xīng	xīn	xìn	
niào	niǎo	niù	
qū	qù	qú	

xù	xū	xǔ	
jī	jí	qí	
qí	qǐ	jǐ	
qià	qiǎ	jiǎ	
jǐng	jìng	qǐng	

第五课 现在几点？

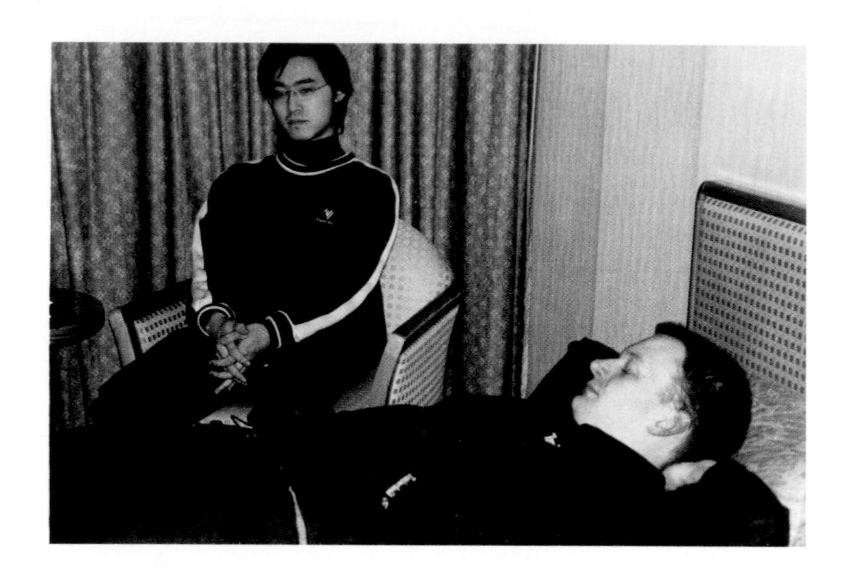

简单句型与基础词汇 Simple Sentences and Basic Words

xiàn zài jǐ diǎn
现在几点？
What time is it now?

xiàn zài bā diǎn
现在八点。
It is 8 o'clock.

nǐ měi tiān wǎn shang jǐ diǎn shuì jiào
你每天晚上几点睡觉？
When do you go to sleep every day?

wǒ měi tiān wǎn shang shí yī diǎn bàn shuì jiào
我每天晚上十一点半睡觉。
I go to sleep at 11:30 at night every day.

nǐ shén me shí hou duàn liàn
你什么时候锻炼？
When do you do your exercises?
wǒ wǎn shang duàn liàn
我晚上锻炼。
In the evening.

三点一刻	3:15	起床	get up
五点半	5:30	上班	go to work
七点二十	7:20	下班	go off work
差十分九点	8:50	锻炼	do exercises
差一刻十二点	11:45	上课	class begins
		下课	class is over

生词 New Words

1.	现在(現在)	*n.*	xiànzài	now
2.	点(點)	*n.*	diǎn	o'clock
3.	时候(時候)	*n.*	shíhou	time; moment
4.	睡觉(睡覺)	*v.*	shuìjiào	go to sleep
5.	每天(每天)	*n.*	měitiān	everyday
6.	晚上(晚上)	*n.*	wǎnshang	evening; night
7.	半(半)	*num.*	bàn	half
8.	刻(刻)	*m.*	kè	quarter
9.	差(差)	*prep.*	chà	to *(when referring to time)*
10.	分(分)	*m.*	fēn	minute
11.	起床(起床)	*v.*	qǐchuáng	get up
12.	上班(上班)	*v.*	shàngbān	go to work
13.	下班(下班)	*v.*	xiàbān	go off work
14.	锻炼(鍛煉)	*v.*	duànliàn	do exercises
15.	上课(上課)	*v.*	shàngkè	class begins
16.	下课(下課)	*v.*	xiàkè	class is over

汉语拼音 Chinese Pinyin

韵母 finals : üe üan ün

声调 tones : 二声 + 其他四个声调
The Second Tone + the Other Four Tones

声母、韵母拼合表 V Table of the Initial-final Combinations V

	ü	üe	üan	ün
j	ju	jue	juan	jun
q	qu	que	quan	qun
x	xu	xue	xuan	xun
n	nü	nüe		
l	lü	lüe		

组合声调（第二声 + 第一、二、三、四和轻声）

Combined Tones (the Second Tone + the First, the Second, the Third, the Fourth, and the Neutral Tones)

yúgāng	táitóu	táopǎo	mílù	táozi
nánfāng	liángxí	xíjuǎn	láidào	lóngtou
xuánkōng	tóngxué	tóunǎo	lújiào	miáotou
tóngxīn	júpí	bíkǒng	téngtòng	hónghuo
dífāng	guóqí	píngguǒ	hángxiàn	hánhu

注释 Notes

一、üe üan ün 等自成音节时的书写方式
The way to write "üe üan ün" When They Have No Preceding Initials

"üe üan ün"在自成音节时，必须在前边加"y"并且"ü"上的两个点去掉。

When "üe üan ün" have no preceding initials, "y" must be added in front of "ü"and the two dots over "ü"should be omitted.

üe	yuē
üan	yuān
ün	yūn

二、j q x + üe üan ün 的书写方式
The Way to Write "j q x + üe üan ün"

"ü" 与 "j q x" 拼写时，应该将 "ü" 上边的两点去掉。

When "ü" is combined with "j q x", the two dots over "ü" should be omitted.

üe	juē
üan	quān
ün	xūn

三、时刻表达法 The Way to Express Time

8: 00	八点	8: 40	八点四十（分） 差二十分九点
8: 05	八点（零）五分		
8: 10	八点十分	8: 45	八点四十五（分） 八点三刻 差十五分九点 差一刻九点
8: 15	八点十五（分） 八点一刻		
8: 20	八点二十（分）		
8: 30	八点三十（分） 八点半	8: 55	八点五十五（分） 差五分九点

练习 Exercises

一、替换 Substitution

1. 现在几点？
   现在八点。

   三点一刻　五点半　七点二十　差十分九点　差一刻十二点

2. 你每天几点睡觉？
   我每天晚上十一点半睡觉。

   六点一刻　　起床
   差一刻八点　上课
   十二点　　　下课
   差十分四点　锻炼
   八点半　　　上班
   五点二十　　下班

二、辨音 Distinguish the Sounds

辨别下列声母、韵母和声调
Distinguish the Following Initials, Finals and Tones

声母、韵母和声调 Initials, Finals and Tones			回答 Answers
jūn	qūn	xūn	
qún	xún	jún	
xuǎn	quǎn	juǎn	
xuè	què	juè	
lüě	nüè	lüè	
lüě	nüè	lüè	
jué	qué	jié	
jiàn	quàn	xiàn	
jūn	xūn	jīn	
jǐ	qǐ	qǔ	
qì	jì	jù	

第六课 这件衬衣多少钱？

6

简单句型与基础词汇 Simple Sentences and Basic Words

zhè jiàn chèn yī duō shao qián
这件衬衣多少钱？
How much does this shirt cost?

zhè jiàn chèn yī yì bǎi kuài qián
这件衬衣一百块钱。
It costs 100 yuan.

nà tiáo kù zi duō shao qián
那条裤子多少钱？
How much does that pair of trousers cost?

nà tiáo kù zi bā shí wǔ kuài
那条裤子八十五块。
They cost 85 yuan.

yì jīn xī guā duō shao qián
一斤西瓜多少钱？
How much does the watermelon cost per jin?
yì jīn xī guā wǔ máo qián
一斤西瓜五毛钱。
It costs 5 jiao per jin.

九十五	95	毛衣（件）	a sweater
七十三	73	大衣（件）	an overcoat
六十二	62	鞋（双）	a pair of shoes
五十四	54	围巾（条）	a scarf
三十一	31	裙子（条）	a skirt

生词 New Words

1.	件(件)	*m.*	jiàn	*a measure word for a coat, a piece of luggage , etc.*
2.	衬衣(襯衣)	*n.*	chènyī	shirt
3.	多少(多少)	*pron.*	duōshao	how much; how many
4.	钱(錢)	*n.*	qián	money
5.	百(百)	*num.*	bǎi	hundred
6.	块(塊)	*m.*	kuài	*kuai, used in the oral language as yuan*
7.	条(條)	*m.*	tiáo	*a measure word for a fish, a pair of pants, etc.*
8.	斤(斤)	*m.*	jīn	*jin (1/2 kilogram)*
9.	毛(毛)	*m.*	máo	*mao, used in the oral language as jiao (1/10 yuan)*
10.	毛衣(毛衣)	*n.*	máoyī	sweater
11.	大衣(大衣)	*n.*	dàyī	overcoat
12.	鞋(鞋)	*n.*	xié	shoe
13.	围巾(圍巾)	*n.*	wéijīn	scarf

14. 裙子(裙子) *n.* qúnzi skirt
15. 双(雙) *m.* shuāng pair, *a measure word for a pair of shoes, a pair of chopsticks, etc.*

汉语拼音 Chinese Pinyin

韵母 finals: ua uo uai ui uan un uang ueng

声母 initials: z c s + i

声调 tones: 三声+其他四个声调 The Third Tone + the Four Other Tones

声母、韵母拼合表 VI Table of the Initial-final Combinations VI

	u	ua	uo	uai	ui	uan	un	uang	ueng
自成音节	wu	wa	wo	wai	wei	wan	wen	wang	weng
z	zu		zuo		zui	zuan	zun		
c	cu		cuo		cui	cuan	cun		
s	su		suo		sui	suan	sun		
g	gu	gua	guo	guai	gui	guan	gun	guang	
k	ku	kua	kuo	kuai	kui	kuan	kun	kuang	

组合声调（第三声 + 第一、二、三、四和轻声）

Combined Tones (the Third Tone + the First, the Second, the Third, the Fourth, and the Neutral Tones)

xǐyān	gǎnqíng	pǎotuǐ	wěiqì	mǔqin
kǎolā	kǒnglóng	xǐjiǔ	yǒuyì	mǎhu
mǔjī	xǐtáng	bǎomǔ	kǎobèi	dǎfa
bǎibān	qiǎngduó	kǒuyǔ	kǒngpà	fǔtou
kǒubēi	tiǎobó	xiǎoyǔ	jǐnggào	jiějie

注释 Notes

一、ua 等自成音节时的书写方式和在前边有其他声母时的书写方式

The Ways to Write “ua...” both with and without Preceding Initials.

“ua uo uai ui uan un uang ueng”在自成音节时，把前边的“u”变成“w”。若与声母拼写，则有所变化，比如前面是“k”时拼写为:“kua kuo kuai kui kuan kun kuang keng”。

“u” should be changed into “w” when “ua uo uai ui uan un uang ueng” have no preceding initials. If they are combined with initials, for example “k”, the spellings should be “kua kuo kuai kui kuan kun kuang keng”.

二、z c s + i 的读法 The Pronunciation of “z c s + i”

“z c s”是舌尖和上齿背之间产生的辅音。这里的“i”的实际读音是一个舌尖前元音，而不是原来的“i”。摆好“z c s”的位置，然后加大摩擦，便产生了这个元音。

“z c s” is produced when the tip of the tongue presses against the upper teeth. “i” here in fact is a vowel pronounced with the front of the tongue, not as “i” usually is pronounced. Place the tongue in the correct position to pronounce “z c s”, then increase the friction, and the vowel will be produced.

练习 Exercises

一、替换 Substitution

1. 这件衬衣多少钱?
   这件衬衣一百块钱。

   九十五块　七十三块　六十二块　五十四块　三十一块

2. 那条裤子多少钱?
   那条裤子八十五块。

   件　毛衣　件　大衣　双　鞋　条　围巾　条　裙子
   九十五块　七十三块　六十二块　五十四块　一百块

二、辨音 Distinguish the Sounds

辨别下列声母、韵母和声调
Distinguish the Following Initials , Finals and Tones

声母、韵母和声调 Initials , Finals and Tones			回答 Answers
wà	wò	wù	
kuài	kuì	kuī	
gū	kū	hū	
zī	cī	sī	
cí	sí	zí	
sǐ	cǐ	zǐ	
cì	zì	sì	
hū	hù	hú	
kuā	kuà	kuǎ	
guàn	guǎn	guān	
dūn	dùn	dún	

第七课 今天几号?

简单句型与基础词汇 Simple Sentences and Basic Words

jīn tiān jǐ hào
今天几号?
What is the date today?

jīn tiān wǔ hào
今天五号。
Today is the 5th.

jīn tiān xīng qī jǐ
今天星期几?
What day is it today?

jīn tiān xīng qī wǔ
今天星期五。
It is Friday.

jīn tiān jǐ yuè jǐ hào
今天几月几号？
What date is it today?

jīn tiān shí yī yuè èr shí wǔ hào
今天十一月二十五号。
It is November 25th.

星期一	Monday	一月	January	七月	July
星期二	Tuesday	二月	February	八月	August
星期三	Wednesday	三月	March	九月	September
星期四	Thursday	四月	April	十月	October
星期五	Friday	五月	May	十一月	November
星期六	Saturday	六月	June	十二月	December
星期日（天）	Sunday				

7

生词 New Words

1.	号(號)	*m.*	hào	date
2.	月(月)	*m.*	yuè	month
3.	星期一(星期一)	*n.*	xīngqīyī	Monday
4.	星期二(星期二)	*n.*	xīngqī'èr	Tuesday
5.	星期三(星期三)	*n.*	xīngqīsān	Wednesday
6.	星期四(星期四)	*n.*	xīngqīsì	Thursday
7.	星期五(星期五)	*n.*	xīngqīwǔ	Friday
8.	星期六(星期六)	*n.*	xīngqīliù	Saturday
9.	星期日(星期日)	*n.*	xīngqīrì	Sunday
10.	一月(一月)	*n.*	yīyuè	January
11.	二月(二月)	*n.*	èryuè	February
12.	三月(三月)	*n.*	sānyuè	March
13.	四月(四月)	*n.*	sìyuè	April

14. 五月(五月) *n.* wǔyuè May
15. 六月(六月) *n.* liùyuè June
16. 七月(七月) *n.* qīyuè July
17. 八月(八月) *n.* bāyuè August
18. 九月(九月) *n.* jiǔyuè September
19. 十月(十月) *n.* shíyuè October
20. 十一月(十一月) *n.* shíyīyuè November
21. 十二月(十二月) *n.* shí'èryuè December

汉语拼音 Chinese *Pinyin*

韵母 finals : er与儿化韵 er and Retroflexed Finals

声母 initials : zh ch sh r + i

声调 tones : 四声 + 其他四个声调
The Fourth Tone + the Other Four Tones

声母、韵母拼合表 VII Table of the Initial-final Combinations VII

	i	e	ai	ao	ou	an	ang	en	eng
zh	zhi	zhe	zhai	zhao	zhou	zhan	zhang	zhen	zheng
ch	chi	che	chai	chao	chou	chan	chang	chen	cheng
sh	shi	she	shai	shao	shou	shan	shang	shen	sheng
r	ri	re		rao	rou	ran	rang	ren	reng
z	zi	ze	zai	zao	zou	zan	zang	zen	zeng
c	ci	ce	cai	cao	cou	can	cang	cen	ceng
s	si	se	sai	sao	sou	san	sang	sen	seng

组合声调（第四声 + 第一、二、三、四和轻声）

Combined Tones (the Fourth Tone + the First, the Second, the Third, the Fourth, and the Neutral Tone)

qièshēn	bùfáng	gòngmiǎn	duànliàn	zhànzhe
dìzēng	lùyíng	guòyǐn	biànfàn	zàihu
shùnjiān	duànlí	dìzhǔ	bìjìng	lùzi
jìtuō	mìjú	xùjiǔ	shìfàng	dàifu
nuòfū	xìngcún	jìzǎi	mèilì	diànji

7

注释 Notes

"zh ch sh r + i" 的读法 The Pronunciation of "zh ch sh r + i"

"zh ch sh r"是舌尖和上齿龈之间产生的辅音。这里的"i"的实际读音是一个舌尖后元音，而不是原来的"i"。摆好"zh ch sh r"的位置，然后加大摩擦，便产生了这个元音。

"zh ch sh r" are produced when the tip of the tongue sticks up toward the upper teeth. The "i" is pronounced with the back of the tongue, not like the usual "i". Place the tongue in the correct position to produce "zh ch sh r", then increase the friction, and the vowel will be produced.

练习 Exercises

一、替换 Substitution

1. 今天几号？
   今天五号。

   七号 九号 一号 二号 三号 四号 六号 八号

2. 今天星期几？

今天星期五。

星期一 星期二 星期三 星期四 星期六 星期日(天)

3. 今天几月几号？

今天十一月二十五号。

一月四号 二月五号 三月七号 四月一号
五月三号 六月八号 七月二号 八月十一号
九月十二号 十月九号 十二月十号

二、辨音 Distinguish the Sounds

辨别下列声母、韵母和声调

Distinguish the Following Initials, Finals and Tones

声母、韵母和声调 Initials, Finals and Tones			回答 Answers
zài	zhì	zhèi	
zhāng	zāng	chāng	
zhēn	chēn	rēn	
rén	shén	chén	
sài	shài	zhài	
sù	shù	rù	
shǒu	sǒu	zǒu	
shè	sè	cè	

第八课 您是哪国人?

8

简单句型与基础词汇 Simple Sentences and Basic Words

nín shì nǎ guó rén
您是哪国人?
Where are you from?

wǒ shì zhōng guó rén
我是中国人。
I am from China.

nǐ péng you yě shì zhōng guó rén ma
你朋友也是中国人吗?
Is your friend also from China?

tā bú shì tā shì rì běn rén
他不是，他是日本人。
No, he is from Japan.

nín guì xìng
您贵姓?
What is your surname?
wǒ xìng mǎ
我姓马。
My surname is Ma.

nín jiào shén me míng zi
您叫什么名字?
What is your name?
wǒ jiào mǎ lì
我叫马力。
My name is Ma Li.

日本	Japan	马来西亚	Malaysia	王忠	Wang Zhong
韩国	South Korea	泰国	Thailand	李晓曼	Li Xiaoman
越南	Vietnam	新加坡	Singapore	刘新	Liu Xin
		菲律宾	Philippines	林邦生	Lin Bangsheng

生词 New Words

1. 您(您)	*pron.*	nín	you
2. 哪(哪)	*pron.*	nǎ	what; which; where
3. 国(國)	*n.*	guó	country
4. 人(人)	*n.*	rén	person; people
5. 也(也)	*adv.*	yě	too; also
6. 姓(姓)	*v.*	xìng	surname
7. 贵姓(貴姓)		guì xìng	surname *(used in a question as a polite form)*
8. 叫(叫)	*v.*	jiào	call
9. 名字(名字)	*n.*	míngzi	name

10. 怎么(怎麼)	*pron.*	zěnme	how
11. 称呼(稱呼)	*v.*	chēnghu	call; you are called...

专有名词 Proper Nouns

1. 马(馬)	Mǎ	Ma *(surname of a person)*
2. 马力(馬力)	Mǎ Lì	Ma Li *(name of a person)*
3. 日本(日本)	Rìběn	Japan
4. 韩国(韓國)	Hánguó	South Korea
5. 越南(越南)	Yuènán	Vietnam
6. 马来西亚(馬來西亞)	Mǎláixīyà	Malaysia
7. 泰国(泰國)	Tàiguó	Thailand
8. 新加坡(新加坡)	Xīnjiāpō	Singapore
9. 菲律宾(菲律賓)	Fēilǜbīn	Philippines
10. 王忠(王忠)	Wáng Zhōng	Wang Zhong *(name of a person)*
11. 李晓曼(李曉曼)	Lǐ Xiǎomàn	Li Xiaoman *(name of a person)*
12. 刘新(劉新)	Liú Xīn	Liu Xin *(name of a person)*
13. 林邦生(林邦生)	Lín Bāngshēng	Lin Bangsheng *(name of a person)*

8

汉语拼音 Chinese Pinyin

韵母 finals : 儿化韵 Retroflexed Finals

声调 tones : 三音节 Three-Syllable Words

儿化韵 Retroflexed finals

xiǎoháir	xiǎogǒur	xiǎomāor	xiǎoyúr	xiǎojīr
xiǎotōur	xiǎoyàngr	xiǎoyángr	xiǎoniǎor	xiǎoniúr
nàmènr	chūzhāor	dàwànr	xiānhuār	yīdiǎnr
yīxiàr	shǒujuànr	yīhuǐr	guāzǐr	shūpír

三音节词 Three-Syllable Words

láibují	chūzūchē	dàshǐguǎn	yuèlǎnshì
yùndòngchǎng	túshūguǎn	jiāyóuzhàn	jiàoxuélóu
diànjiàozhàn	fēijīchǎng	diànyǐngyuàn	Tiānānmén
shǒushùtái	rìguāngdēng	tàiyángjìng	sānxiāntāng
zìxíngchē	zhuōzituǐr	jiāotōngjǐng	tòushìjìng

注释 Notes

儿化韵 Retroflexed Finals

韵母 er 常用在其他韵母的后面，使这个韵母变为儿化韵母，并跟原来音节中的声母结合成一个音节。儿化韵在发音时，一边发音一边卷舌。由于汉语的韵母较复杂，所以做以下具体说明。

The final “er” is sometimes attached to another final in a syllable to form a retroflexed final, and this retroflexed final together with the initial of the original syllable becomes one syllable. The retroflexed final is pronounced when the tip of the tongue rolls up quickly after the first final. However, because Chinese finals are quite complicated, some cases need to be explained further.

1. 单韵母 “a o e i u ü” 都向单元音 “e” 转移，然后儿化。

Simple finals as “a o e i u ü” should shift to the central vowel “e”, and then be retroflexed.

单韵母 Simple Finals	儿化写做 Retro flexed Fimals	实际读音 Actual Pronunciation
ya	yar	yaer
yí	yír	yíer
yú	yúr	yúer

2. “n ng” 结尾的韵母，“n ng” 脱落后儿化。

When finals ending with “n ng” are retroflexed, the “n ng” are omitted.

带韵尾的韵母 Nasal Finals	儿化写做 Retroflexed Form	实际读音 Actual Pronunciation
mén	ménr	mér
fáng	fángr	fáer
dēng	dēngr	dēr
wǎn	wǎnr	wǎer

练习 Exercises

一、替换 Substitution

1. 您是哪国人？
   我是中国人。

   日本　韩国　越南　马来西亚　泰国　新加坡　菲律宾

2. 您贵姓？
   我姓马。

   王　李　刘　林

3. 您叫什么名字？
   我叫马力。

   王忠　李晓曼　刘新　林邦生

4. 他是中国人，姓马，叫马力。

韩国	李	李晓曼
越南	刘	刘新
马来西亚	林	林邦生
新加坡	张	张大力
菲律宾	王	王忠

二、辨音 Distinguish the Sounds

辨别下列声调 Distinguish the Following Tones

声调 Tones	回答 Answers
(ˉ ˊ ˇ) (ˉ ˋ ˊ)	
(ˇ ˋ ˊ) (ˇ ˋ ˉ)	
(ˋ ˋ ˉ) (ˋ ˊ ˉ)	
(ˊ ˋ ˉ) (ˇ ˋ ˉ)	
(ˇ ˊ ˋ) (ˋ ˉ ˉ)	
(ˊ ˊ ˊ) (ˊ ˋ ˊ)	
(ˋ ˋ ˋ) (ˋ ˇ ˋ)	
(ˇ ˊ ˊ) (ˇ ˊ ˋ)	
(ˉ ˊ ˊ) (ˉ ˊ)	
(ˋ ˊ ˊ) (ˇ ˊ ˊ)	
(ˇ ˋ ˋ) (ˇ ˊ ˊ)	

8

第九课 他是谁?

简单句型与基础词汇 Simple Sentences and Basic Words

tā shì shéi
他是谁?
Who is he?

tā shì wǒ men de lǎo shī
他是我们的老师。
He is our teacher.

tā shì shéi
她是谁?
Who is she?

tā shì wǒ men bān de tóng xué
她是我们班的同学。
She is my classmate.

tā shì nǐ men xué xiào de lǎo shī ma
她是你们学校的老师吗?
Is she a teacher in your school?

tā bú shì wǒ men xué xiào de lǎo shī
她不是我们学校的老师。
She is not a teacher in our school.

公司	company	总经理	general manager
学校	school	会计	accountant
工厂	factory	领导	leader
单位	unit (in measurement or organization)	主任	dirctor
		秘书	secretary
机关	office; organ	职员	employee

生词 New Words

1.	他(他)	*pron.*	tā	he; him
2.	谁(誰)	*pron.*	shéi, shuí	who
3.	我们(我們)	*pron.*	wǒmen	we; us
4.	她(她)	*pron.*	tā	she; her
5.	班(班)	*n.*	bān	class
6.	你们(你們)	*pron.*	nǐmen	you *(pl.)*
7.	研究所(研究所)	*n.*	yánjiūsuǒ	graduate school; academy
8.	研究员(研究員)	*n.*	yánjiūyuán	researcher
9.	公司(公司)	*n.*	gōngsī	company
10.	学校(學校)	*n.*	xuéxiào	school
11.	工厂(工廠)	*n.*	gōngchǎng	factory
12.	单位(單位)	*n.*	dānwèi	unit (in measurement or organization)
13.	总经理(總經理)	*n.*	zǒngjīnglǐ	general manager
14.	机关(機關)	*n.*	jīguān	office

15. 会计(會計) *n.* kuàijì accountant
16. 领导(領導) *n.* lǐngdǎo leader
17. 主任(主任) *n.* zhǔrèn director
18. 秘书(秘書) *n.* mìshū secretary
19. 职员(職員) *n.* zhíyuán employee

语音综合练习 Comprehensive Phonetic Exercises

三音节词 Three-Syllable Words

kànzájì	kàndiànyǐng	kànjīngjù	kànbiǎoyǎn
kāiqìchē	kāifēijī	kāijīqì	kāilúnchuán
huàshānshuǐ	huàrénwù	huàfēngjǐng	huàyóuhuà
xiějiāxìn	xiěhànzì	xiěwénzhāng	xiěgǎozi
dǎlánqiú	dǎbàngqiú	dǎpáiqiú	dǎwǎngqiú
qùshànghǎi	qùdàlián	qùguǎngzhōu	qùchóngqìng
chīhǎixiān	chīdàwǎn	chīmántou	chīmǐfàn
kǎoyángròu	kǎoyúròu	kǎoyùmǐ	kǎohóngshǔ
zuòtícāo	zuòshǒugōng	zuòliànxí	zuòzhǔnbèi
tīngyīnyuè	tīngguǎngbō	tīngxiàngsheng	tīngxīnwén

练习 Exercises

一、替换 Substitution

1. 他是谁？

   他是我们的老师。

   总经理　　会计　　领导　　主任　　秘书　　职员

2. 她是你们学校的老师吗？
她不是我们学校的老师。

公司　工厂　单位　机关　研究所
职员　主任　领导　会计　研究员

二、辨音 Distinguish the Sounds

辨别下列声调 Distinguish the Following Tones

声调 Tones		回答 Answers
tóngshì	tóngzhì	
shǎnxī	shānxī	
Hànzì	hànzi	
jiàoshī	jiàoshì	
yǎnjing	yǎnjìng	
shíyàn	shìyàn	
yànhuì	yānhuī	
ānjìng	ànjìng	
chūcuò	chùzuò	
tóngzhì	tǒngzhì	
xìnxīn	xīnxìn	
mǎhu	mōhu	
wǎnshang	wánshǎng	

第十课 你能帮我一下吗?

10 简单句型与基础词汇 Simple Sentences and Basic Words

duì bu qǐ, nǐ néng bāng wǒ yí xià ma
对不起,你能帮我一下吗?
Excuse me, can you help me?

néng
能。
Yes.

nǐ men huì kāi qì chē ma
你们会开汽车吗?
Can you drive?

tā huì kāi, wǒ bú huì kāi
他会开,我不会开。
He can drive, but I cannot drive.

nǐ huì shuō hàn yǔ ma
你会说汉语吗？
Can you speak Chinese?
wǒ huì shuō yì diǎnr hàn yǔ
我会说一点儿汉语。
I can speak a little Chinese.

zhèr kě yǐ chōu yān ma
这儿可以抽烟吗？
May I smoke here?
kě yǐ duì bu qǐ zhèr bù kě yǐ chōu yān
可以。/ 对不起，这儿不可以抽烟。
Yes. / Sorry, you cannot smoke here.

游泳	swim	法语	French	英语	English
滑冰	skate	德语	German	俄语	Russian

生词 New Words

1.	能(能)	*v.*	néng	can
2.	帮(幫)	*v.*	bāng	help
3.	一下(一下)	*adv.*	yíxià	one time; once
4.	会(會)	*v.*	huì	can
5.	开(開)	*v.*	kāi	drive
6.	汽车(汽車)	*n.*	qìchē	car
7.	说(說)	*v.*	shuō	speak; say
8.	一点儿(一點兒)	*adv.*	yìdiǎnr	a little
9.	可以(可以)	*v.*	kěyǐ	can; may
10.	抽烟(抽烟)	*v.*	chōuyān	smoke cigarettes
11.	这儿(這兒)	*pron.*	zhèr	here
12.	游泳(游泳)	*v.*	yóuyǒng	swim
13.	滑冰(滑冰)	*v.*	huábīng	skate

专有名词 Proper Nouns

1. 汉语(漢語) Hànyǔ Chinese *(language)*
2. 法语(法語) Fǎyǔ French *(language)*
3. 德语(德語) Déyǔ German *(language)*
4. 英语(英語) Yīngyǔ English *(language)*
5. 俄语(俄語) Éyǔ Russian *(language)*

语音总结 Summarization of Pronunciation

多音节词 Polysyllabic Words

dǎcǎojīngshé	páiyōujiěnàn	pāozhuānyǐnyù
zuòjǐngguāntiān	yǒuyùbùjué	dànànbùsǐ
zhùzhòuwéinüè	hújiǎhǔwēi	jiéwàishēngzhī
mǎdàochénggōng	lóngténghǔyuè	zhòngzhìchéngchéng
zhòngrútàishān	yúgōngyíshān	yùnchóuwéiwò
yǐyīdāngshí	xiōngyǒuchéngzhú	xuězhōngsòngtàn
xiàlǐbārén	tǔbēngwǎjiě	tiānyīwúfèng
sìmiànchǔgē	shǒuzhūdàitù	shíshìqiúshì
qiánlǘjìqióng	bùkětóngrì'éryǔ	lǎosǐbùxiāngwǎnglái
shèhuìzhǔyìzhě	bùyuèléichíyībù	bǎiwénbùrúyījiàn

练习 Exercises

一、替换 Substitution

1. 你会开汽车吗?

 游泳　　滑冰

2. 你会说汉语吗?
我会说一点儿汉语。

法语　　德语　　英语　　俄语

二、辨音 Distinguish the Sounds

辨别下列声母 Distinguish the Following Initials

声母 Initials		回答 Answers
pǎo	bǎo	
líng	píng	
dèng	tèng	
tōu	dōu	
kù	gù	
gǔn	kǔn	
qiū	jiū	
jìng	qìng	
zhǔn	chǔn	
chàng	zhàng	
zì	cì	
zǎo	cǎo	
chǐ	zhǐ	

第十一课 问候

mǎ lì hé liú xīn shì dà xué shí de tóng xué yí cì zài dà jiē shang ǒu rán xiāng yù
（马力和刘新是大学时的同学，一次，在大街上偶然相遇。）

11

mǎ lì liú xīn nǐ hǎo
马力： 刘新，你好！

liú xīn mǎ lì nǐ hǎo
刘新： 马力，你好！

mǎ lì hǎo jiǔ bú jiàn le nǐ zài nǎr gōng zuò
马力： 好久不见了，你在哪儿工作？

liú xīn wǒ zài yì suǒ dà xué gōng zuò
刘新： 我在一所大学工作。

mǎ lì dāng lǎo shī le gōng zuò de zěn me yàng
马力： 当老师了，工作得怎么样？

liú xīn hái bú cuò nǐ ne
刘新： 还不错。你呢？

mǎ lì　　wǒ bì yè hòu　yì zhí zài　yì jiā gōng sī gōng zuò
马力：　我毕业后，一直在一家公司工作。

liú xīn　　gàn de zěn me yàng
刘新：　干得怎么样？

mǎ lì　　nà shì jiā wài mào gōng sī　jīng cháng chū chāi　hěn lèi　dàn gōng zuò hái hěn yǒu yì si
马力：　那是家外贸公司，经常出差，很累，但工作还很有意思。

liú xīn　　nǐ shēn tǐ zěn me yàng
刘新：　你身体怎么样？

mǎ lì　　hěn jiē shi
马力：　很结实！

liú xīn　　nǐ bà ba mā ma hǎo ma
刘新：　你爸爸妈妈好吗？

mǎ lì　　tā men dōu hěn hǎo　xiè xie
马力：　他们都很好，谢谢！

liú xīn　　qǐng dài wǒ wèn hòu tā men
刘新：　请代我问候他们。

mǎ lì　　yí dìng　xiè xie
马力：　一定。谢谢！

生词 New Words

1. 和(和)	*conj.*	hé	and
2. 大学(大學)	*n.*	dàxué	university
3. 时(時)	*n.*	shí	time
4. 次(次)	*m.*	cì	*measure word*
5. 在(在)	*prep.*	zài	in; at; on

6.	大街(大街)	*n.*	dàjiē	avenue; street
7.	上(上)	*prep.*	shàng	on
8.	偶然(偶然)	*adv.*	ǒurán	by chance
9.	相遇(相遇)	*v.*	xiāngyù	meet; encounter
10.	久(久)	*adj.*	jiǔ	long time
11.	不(不)	*adv.*	bù	no; not
12.	见(見)	*v.*	jiàn	see
13.	了(了)	*aux.*	le	*used after a verb to form the past tense*
14.	哪儿(哪兒)	*pron.*	nǎr	where
15.	工作(工作)	*n., v.*	gōngzuò	job; work
16.	所(所)	*m.*	suǒ	*measure word for a school, a hospital, etc.*
17.	当(當)	*v.*	dāng	become
18.	得(得)	*aux.*	de	*used after a verb to indicate the degree*
19.	还(還)	*adv.*	hái	again; yet
20.	毕业(畢業)	*v.*	bìyè	graduate
21.	后(後)	*prep.*	hòu	after
22.	一直(一直)	*adv.*	yìzhí	at all times; always
23.	家(家)	*n.*	jiā	home
24.	干(幹)	*v.*	gàn	do
25.	外贸(外貿)	*n.*	wàimào	foreign trade
26.	经常(經常)	*adv.*	jīngcháng	often
27.	出差(出差)	*v.*	chūchāi	go on a business trip
28.	但(但)	*conj.*	dàn	but

29. 有意思(有意思)	*adj.*	yǒu yìsi	interesting
30. 结实(結實)	*adj.*	jiēshi	strong
31. 请(請)	*v.*	qǐng	please
32. 代(代)	*v.*	dài	replace; stand for
33. 问候(問候)	*v.*	wènhòu	give one's regards to
34. 一定(一定)	*adv.*	yídìng	sure; definitely

注释 Notes

一、形容词谓语句 Sentences with an Adjective as the Predicate

以形容词为谓语或谓语中心语的句子称为形容词谓语句。汉语里，形容词或形容词短语可直接充当谓语。主语与形容词或形容词短语之间不需要用动词"是"。形容词谓语句中的谓语多由形容词短语充当。

A sentence, in which an adjective is acting as the predicate or the main part of the predicate, is known as a sentence with an adjective as a predicate. In Chinese, adjectives and adjectival phrases can act as predicates directly. In such sentences, the verb "是" is not needed between subjects and adjectives or adjectival phrases. In a sentence with an adjective as a predicate, the predicate is often an adjectival phrase.

主语 + 形容词 Subject + Adjective	你好吗？我很好。
	今天非常热。

否定形式 Negative Form

主语 + 不 + 形容词 Subject + 不 + Adjectives	我身体不太好。
	今天不热。

注意："有意思"的否定是"没有意思"或"没意思"。
Note: The negative form of "有意思" is "没有意思" or "没意思".

我的工作没有意思。

二、带"呢"的疑问句 Question with "呢"

"呢"放置句尾，表示疑问，紧随着前一个话题发问。

"呢" is put at the end of the sentence following the preceding topic to raise a question.

带"呢"的疑问句 Simple Question with "呢"	提问的内容 Meaning of the Question
这件衣服一百块钱，那件呢？	那件多少钱？
他是日本人，你呢？	你是哪国人？
我的工作很有意思，你呢？	你的工作怎么样？

练习 Exercises

一、模仿 Imitation

1. 好久不见了，你在哪儿工作？
2. 你身体怎么样？

3. 工作得怎么样？
   还不错。你呢？
4. 你爸爸妈妈好吗？
   他们都很好，谢谢！
5. 请代我问候他们。

二、替换 Substitution

A: 你爸爸身体好吗？
B: 很好，谢谢。

妈妈　姐姐　哥哥　弟弟　妹妹
朋友　同学　同事　老师

A: 你的工作怎么样？
B: 我的工作很有意思。

游泳　滑冰　开汽车　说汉语
说法语　说德语　说英语　说俄语

三、请将下列词语整理成正确的句子
Make up Sentences Using the Following Words.

1. 好　身体　吗　哥哥　你 ______________________
2. 很　姐姐　好　他 ______________________

3. 好　今天　极了　天气 ______________________

4. 我　工作　有意思　很　的 ______________________

5. 不　我　忙　太 ______________________

6. 怎么样　天气　今天 ______________________

7. 身体　的　你　真　结实　弟弟 ______________________

8. 工作　太好了　的　你 ______________________

英文翻译 English Translation

(Ma Li and Liu Xin were classmates at university. One day, they met by chance in the street.)

Ma Li : Hello, Liu Xin!

Liu Xin: Hello, Ma Li!

Ma Li : We have not seen each other for a long time. Where are you working?

Liu Xin: I work at a university.

Ma Li : You have become a teacher. How are you getting along with your job?

Liu Xin: Not bad. And you?

Ma Li : I have been working for a company since graduation.

Liu Xin: How is it?

Ma Li : Since it is a foreign trade company, I often go on business trips. I am very tired but it is interesting.

Liu Xin: How about your health?

Ma Li : Pretty good.

Liu Xin: How are your parents?

Ma Li : They are fine, thank you.

Liu Xin: Please send my regards to them.

Ma Li : Sure.

第十二课　谈学校

ān nà shì yīng guó rén　tā zài běi jīng de yì suǒ xué xiào xué xí hàn yǔ　mǎ lì shì
（安娜是英国人，她在北京的一所学校学习汉语。马力是
zhōng guó rén　tā zài běi jīng de lìng yì suǒ xué xiào xué xí　tā xué xí yīng yǔ　tā men
中国人，他在北京的另一所学校学习，他学习英语。他们
zhèng zài tán lùn xué xiào de shì
正在谈论学校的事。）

mǎ lì　nǐ men bān yǒu duō shao ge xué sheng
马力：你们班有多少个学生？

ān nà　wǒ men bān yǒu shí bā ge xué sheng
安娜：我们班有十八个学生。

mǎ lì　yǒu jǐ mén kè
马力：有几门课？

ān nà　yǒu qī mén kè
安娜：有七门课。

mǎ lì nǐ men xué xiào dà ma
马力：你们学校大吗？

ān nà bú tài dà yǒu yí ge bàn gōng lóu hé sì ge jiào xué lóu hái yǒu xué sheng sù shè lóu hé shí táng
安娜：不太大。有一个办公楼和四个教学楼，还有学生宿舍楼和食堂。

mǎ lì nǐ men xué xiào yǒu tú shū guǎn ma
马力：你们学校有图书馆吗？

ān nà yǒu wǒ men xué xiào yǒu yí ge tú shū guǎn
安娜：有，我们学校有一个图书馆。

mǎ lì tú shū guǎn lǐ rén duō ma
马力：图书馆里人多吗？

ān nà bù shǎo wǎn fàn hòu rén zuì duō dà jiā dōu xǐ huan qù nàr fù xí gōng kè
安娜：不少，晚饭后人最多。大家都喜欢去那儿复习功课。

mǎ lì nǐ cháng qù ma
马力：你常去吗？

ān nà wǒ bù cháng qù wǒ xǐ huan zài sù shè kàn diàn shì huò zhě qù péng you nàr liáo tiānr
安娜：我不常去。我喜欢在宿舍看电视，或者去朋友那儿聊天。

mǎ lì nǐ men xué xiào yǒu tǐ yù guǎn ma
马力：你们学校有体育馆吗？

ān nà yǒu yí ge tǐ yù guǎn xiāng dāng dà shè bèi yòu xīn yòu xiān jìn
安娜：有一个体育馆，相当大，设备又新又先进。

mǎ lì　nǐ cháng qù nàr duàn liàn ma
马力：你常去那儿锻炼吗？
ān nà　cháng qù　wǒ měi tiān xià wǔ dōu qù yóu yǒng　yǒu shí hou qù nàr dǎ
安娜：常去，我每天下午都去游泳。有时候去那儿打
lán qiú　dǎ pīng pāng qiú
篮球，打乒乓球。

生词 New Words

1.	学生(學生)	*n.*	xuésheng	student
2.	门(門)	*m.*	mén	*a measure word for a course*
3.	课(課)	*n.*	kè	course
4.	大(大)	*adj.*	dà	big; large
5.	宿舍(宿舍)	*n.*	sùshè	dormitory
6.	食堂(食堂)	*n.*	shítáng	dining room; cafeteria
7.	里(裏)	*n.*	lǐ	inside
8.	多(多)	*adj.*	duō	many; much
9.	少(少)	*adj.*	shǎo	few; little
10.	晚饭(晚飯)	*n.*	wǎnfàn	dinner; supper
11.	最(最)	*adv.*	zuì	most
12.	大家(大家)	*pron.*	dàjiā	everybody
13.	去(去)	*v.*	qù	go
14.	那儿(那兒)	*pron.*	nàr	there
15.	复习(復習)	*v.*	fùxí	go over; review

16.	功课(功課)	*n.*	gōngkè	homework
17.	常(常)	*adv.*	cháng	often
18.	喜欢(喜歡)	*v.*	xǐhuan	like
19.	看(看)	*v.*	kàn	watch; see; look at
20.	电视(電視)	*n.*	diànshì	TV; television
21.	或者(或者)	*conj.*	huòzhě	or
22.	聊天(聊天)	*v.*	liáotiān	chat
23.	相当(相當)	*adv.*	xiāngdāng	quite
24.	设备(設備)	*n.*	shèbèi	equipment; facility
25.	又……又…… (又……又……)	*conj.*	yòu……yòu……	...and... *(used with adjectives)*
26.	新(新)	*adj.*	xīn	new
27.	先进(先進)	*adj.*	xiānjìn	advanced
28.	有时候(有時候)		yǒu shíhou	sometimes
29.	打(打)	*v.*	dǎ	play
30.	篮球(籃球)	*n.*	lánqiú	basketball
31.	乒乓球(乒乓球)	*n.*	pīngpāngqiú	table tennis; ping pong

专有名词 Proper Nouns

北京(北京)	Běijīng	Beijing *(capital city of China)*

注释 Notes

一、领有句 Sentence of Possession

"有"可以表示领有，表示领有某种或某些人、物、事、属性、特点的句子，称为领有句，"有"不能用"不"否定，只能用"没"否定。

"有" indicates possession. A sentence, which indicates the possession of people, things, properties, or characteristics, is known as a sentence of possession. "没" is used in its negative form, where "不" cannot be used.

我有一个姐姐。
你们班有多少个学生？
我们学校有一个图书馆。
他们学校有体育馆吗？——没有。

二、"句子 + 吗？"疑问句
"Sentences + 吗？" Interrogative Sentence

带"吗"的疑问句一般由句子和疑问语气词"吗"组成。在用疑问句提问时，形容词谓语句中的修饰性副词去掉；含有数量词的句子要去掉数量词；否定句子要去掉否定词。

A question with "吗" is generally formed with a sentence and an interrogative particle "吗". When asking a question using this sentence pattern, the attributive adverbs should be omitted in sentences with adjectives as predicates; numerals should be omitted in sentences containing numerals; and negative words should be omitted in negative sentences.

基本句型 Basic Sentence Patterns

句子 + 吗? Sentences + 吗?	
例：疑问句 Question	原始句 Original Sentences
你是中国人吗?	我是中国人。
你们学校大吗?	我们学校很大。
你有姐姐吗?	我没有姐姐。
刘新有弟弟吗?	刘新有两个弟弟。
你喜欢去体育馆吗?	我不喜欢去体育馆。

练习 Exercises

一、模仿 Imitation

1. 你们班有多少个学生?
2. 有一个办公楼和四个教学楼，还有学生宿舍楼和食堂。
3. 图书馆里人多吗?
4. 你常去那儿锻炼吗?
5. 我每天下午都去游泳。有时候去那儿打篮球，打乒乓球。

二、替换 Substitution

1. 你有<u>哥哥</u>吗?
   我有<u>一个</u> <u>哥哥</u>。

两个	妹妹	一个	弟弟	三个	姐姐
五个	美国朋友	十个	中国同事	两条	围巾

2. 你们学校有图书馆吗?
我们学校有一个图书馆。

一个	办公楼	五个	教学楼	两个	食堂
一个	体育馆	六个	宿舍楼	三个	研究所

三、用带“吗”的形式将下列句子变成一般疑问句

Change the Following Sentences into General Questions with “吗”

例:我是中国人。 ——你是中国人吗?

1. 我有一个英国朋友。________
2. 我们学校有三个研究所。________
3. 李晓曼是越南人。________
4. 林邦生有两个哥哥。________
5. 今天很冷。________
6. 我相当累。________
7. 我的工作很有意思。________
8. 我爸爸身体很结实。________
9. 同学们晚上去图书馆学习。________
10. 我喜欢在体育馆锻炼身体。________
11. 总经理不抽烟。________
12. 刘新不是新加坡人。________

英文翻译 English Translation

(Anna is from England and she is learning Chinese at a school in Beijing. Ma Li is from China and he is studying at another school in Beijing. He is studying English. They are talking about their schools.)

Ma Li: How many students are there in your class?

Anna : There are eighteen students in our class.

Ma Li: How many courses do you take?

Anna : Seven.

Ma Li: Is your school large?

Anna : Not very large. There is an office building, four classroom buildings, dormitories, and dining rooms.

Ma Li: Is there a library at your school?

Anna : Yes, there is.

Ma Li: Are there many students in the library?

Anna : Yes, especially after supper. Everybody likes to review lessons there.

Ma Li: Do you go there frequently?

Anna : No, not often. I like watching TV in my dormitory, or going to chat with friends.

Ma Li: Is there a gymnasium at your school?

Anna : Yes, there is a large gymnasium with new and advanced equipment.

Ma Li: Do you often go there to exercise?

Anna : Quite often. I go swimming every afternoon. Sometimes, I play volleyball and table tennis.

第十三课　介绍

lǐ xiǎo màn shì mǎ lì de tóng xué, yě shì mǎ lì de nǚ péng you. mǎ lì dào lǐ xiǎo màn jiā zuò kè.
（李晓曼是马力的同学，也是马力的女朋友。马力到李晓曼家做客。）

13

lǐ xiǎo màn: xiǎo mǎ, kuài qǐng jìn.
李晓曼：小马，快请进。

mǎ lì: nǐ jiā lí xué xiào zhēn yuǎn.
马　力：你家离学校真远。

lǐ xiǎo màn: kě bú shì, měi tiān yào zài lù shang huā liǎng gè bàn xiǎo shí. kuài qǐng zuò, qǐng hē chá.
李晓曼：可不是，每天要在路上花两个半小时。快请坐，请喝茶。

mǎ lì: nǐ bà ba mā ma ne?
马　力：你爸爸妈妈呢？

lǐ xiǎo màn　　tā men mǎ shàng jiù lái
李晓曼：　他们马上就来。

lǐ xiǎo màn de bà ba mā ma cóng lǐ wū zǒu chū lái　　mǎ lì zhàn qǐ lái
（李晓曼的爸爸妈妈从里屋走出来。马力站起来。）

mǎ lì　　bó fù hǎo　bó mǔ hǎo
马　力：　伯父好，伯母好。

lǐ xiǎo màn　　wǒ jiè shào yí xià　zhè shì wǒ bà ba　zhè shì wǒ mā ma　zhè shì wǒ tóng xué　tā jiào mǎ lì
李晓曼：　我介绍一下，这是我爸爸，这是我妈妈。这是我同学，他叫马力。

bà ba mā ma　　huān yíng nǐ dào wǒ jiā lái wánr
爸爸妈妈：　欢迎你到我家来玩。

mǎ lì　　xiè xie
马　力：　谢谢！

lǐ xiǎo màn　　nǐ kàn　zhè shì wǒ men jiā de yǐng jí　zhè shì wǒ gū gu　zhè shì wǒ shū shu
李晓曼：　你看，这是我们家的影集。这是我姑姑，这是我叔叔。

mǎ lì　　nǐ men jiā zhè me duō rén ya
马　力：　你们家这么多人呀！

lǐ xiǎo màn　　kě bú shì　zhè shì wǒ yí mā　zhè shì wǒ jiù jiu
李晓曼：　可不是！这是我姨妈，这是我舅舅。

mǎ lì　　nǐ men zhēn shì yí ge dà jiā tíng
马　力：　你们真是一个大家庭。

lǐ xiǎo màn　　píng shí　wǒ men bú zhù zài yì qǐ　guò jié shí cái dào yì qǐ tuán jù
李晓曼：　平时，我们不住在一起，过节时才到一起团聚。

生词 New Words

1.	到(到)	*v.*	dào	arrive; reach
2.	进(進)	*v.*	jìn	enter; come in
3.	离(離)	*prep.*	lí	to, away from
4.	远(遠)	*adj.*	yuǎn	far
5.	花(花)	*v.*	huā	spend *(time, money)*
6.	快(快)	*adj.*	kuài	fast; rapid; soon
7.	坐(坐)	*v.*	zuò	sit
8.	喝(喝)	*v.*	hē	drink
9.	茶(茶)	*n.*	chá	tea
10.	马上(馬上)	*adv.*	mǎshàng	at once
11.	就(就)	*adv.*	jiù	right away
12.	来(來)	*v.*	lái	come
13.	从(從)	*prep.*	cóng	from
14.	里屋(裏屋)	*n.*	lǐwū	inner room
15.	走(走)	*v.*	zǒu	walk; go
16.	出来(出來)	*v.*	chūlái	come out
17.	站起来(站起來)		zhàn qǐlái	stand up
18.	伯父(伯父)	*n.*	bófù	uncle
19.	伯母(伯母)	*n.*	bómǔ	aunt
20.	介绍(介紹)	*v.*	jièshào	introduce
21.	欢迎(歡迎)	*v.*	huānyíng	welcome
22.	玩(玩)	*v.*	wán	play
23.	影集(影集)	*n.*	yǐngjí	photo album

24. 姑姑(姑姑)	*n.*	gūgu	aunt *(father's sister)*
25. 叔叔(叔叔)	*n.*	shūshu	uncle *(father's brother)*
26. 这么(這麼)	*pron.*	zhème	so
27. 呀(呀)	*interj.*	ya	*used at the end of a sentence*
28. 舅舅(舅舅)	*n.*	jiùjiu	uncle *(mother's brother)*
29. 家庭(家庭)	*n.*	jiātíng	family
30. 平时(平時)	*n.*	píngshí	in normal time
31. 住(住)	*v.*	zhù	live
32. 一起(一起)	*adv.*	yìqǐ	together
33. 过(過)	*v.*	guò	spend
34. 节(節)	*n.*	jié	festiva; holiday
35. 才(才)	*adv.*	cái	just
36. 团聚(團聚)	*v.*	tuánjù	reunite; get together

专有名词 Proper Nouns

小马(小馬)	Xiǎo Mǎ	Xiao Ma *(name of a person)*

注释 Notes

一、“是”字句 “是” Sentence

谓语中心是“是”的句子称为“是”字句。“是”主要起联系和判断的作用，不是句子的语义重点，句子语义重点一般在宾语上。只能用“不”否定。

A sentence, in which the central part of the predicate is “是”, is known as a “是”-sentence. “是” functions as both judgment and connection, and is not the semantic focus of the sentence. The semantic focus of a “是” sentence usually is the object. The negative form of a “是” sentence is formed by placing “不” before “是”.

“是”字句 “是” Sentence
这是我爸爸。
她不是我姐姐，她是我妹妹。

二 “名词＋呢？”疑问句

“Noun ＋呢？” Interrogative Sentence

在没有前后文的情况下，“名词 ＋ 呢 ”是疑问句，询问这个名词所代表的人或事物在什么地方。

“ Noun +呢” is a question inquiring about the location of the object without context.

名词 ＋ 呢 ？ Noun ＋ 呢?
你哥哥呢?
我的衬衣呢?

三、可不是

“可不”、“可不是”或“可不是吗”用于对话时，表示同意对方的话，而且常常伴有进一步补充说明。

“可不”、“可不是”or“可不是吗”can be used to indicate agreement in dialognes, often accornpanied with additional explanation.

A:	“你家离学校真远。”
B:	“可不是，每天两个半小时。”
A:	“你们家这么多人呀！”
B:	“可不是！这是我姨妈，这是我舅舅。”
A:	“她工作挺忙的。”
B:	“可不是，有时候星期六、星期天也上班。”

练习 Exercises

一、模仿 Imitation

1. 他们是我们班的学生。
2. 我介绍一下，这是我爸爸，这是我妈妈。这是我同学，他叫马力。
3. 那是一件毛衣。
4. 影集呢？
5. 你爸爸妈妈呢？

二、替换 Substitution

1. 这是西瓜，那是香蕉。

桃子	荔枝	裤子	衬衣
毛衣	裙子	鞋	围巾

2. 我不是美国人，我是中国人。

日本	韩国	菲律宾	俄罗斯
越南	马来西亚	法国	英国
泰国	新加坡	加拿大	澳大利亚

三、请将下列词语整理成正确的句子

Make up Sentences Using the Following Words.

1. 的　里屋　妈妈　李晓曼　出来　爸爸　走　从

____

2. 家　学校　你　远　离　真

____

3. 爸爸　是　介绍　我　这　我　一下

____

4. 真　你们　一　是　家　庭　大　个

____

5. 才　过节　到　团聚　我们　时　一起

____

6. 家　这　我们　影集　是　的

____

英文翻译 English Translation

(Li Xiaoman is Ma Li's classmate and girl friend. Ma Li visits Li Xiaoman's home.)

Li Xiaoman: Xiao Ma, come in, please.
Ma Li : Your house is really far away from school.
Li Xiaoman: That is right. It takes me two and a half hour every day to go to school. Sit down, please. Drink some tea.
Ma Li : Where are your parents?
Li Xiaoman: They will come in a minute.

(Ma Li stands up as soon as Li Xiaoman's parents come out of their room.)

Ma Li : Hello, uncle! Hello, auntie!
Li Xiaoman: Let me introduce you to each other. This is my father. This is my mother. This is my classmate, Ma Li.
Parents : Welcome to our house.
Ma Li : Thank you.
Li Xiaoman: Look! This is my family album. This is my father's sister, and this is my father's brother.
Ma Li : What a big family you have!
Li Xiaoman: You are right! This is my mother's brother, and this is my mother's sister.
Ma Li : Your family is really big.
Li Xiaoman: We do not live together normally. We just get together to celebrate festivals.

第十四课 谈学习

lín bāng shēng shì qīng huá dà xué de xué sheng tā shì ān nà de xīn péng you tā men zài tán xué xí
（林邦生是清华大学的学生，他是安娜的新朋友，他们在谈学习。）

lín bāng shēng nǐ zài nǎr xué xí
林邦生：你在哪儿学习？

ān nà wǒ zài běi jīng dà xué xué xí
安 娜：我在北京大学学习。

lín bāng shēng nǐ zài nǎ gè xì xué xí
林邦生：你在哪个系学习？

ān nà zhōng wén xì
安 娜：中文系。

lín bāng shēng nǐ xué xí shén me zhuān yè
林邦生：你学习什么专业？

an nà wǒ xué xí hàn yǔ
安 娜：我学习汉语。

lín bāng shēng hàn yǔ nán ma
林邦生：汉语难吗？

ān nà fā yīn nán yǔ fǎ bú tài nán
安 娜：发音难，语法不太难。

lín bāng shēng nǐ men zhuān yè yǒu shén me kè
林邦生：你们专业有什么课？

ān nà yǒu kǒu yǔ kè tīng lì kè yǔ fǎ kè hé zhōng guó wén xué kè
安 娜：有口语课、听力课、语法课和中国文学课。

lín bāng shēng nǐ men měi tiān dōu yǒu kè ma
林邦生：你们每天都有课吗？

ān nà duì wǒ men měi tiān dōu yǒu kè
安 娜：对。我们每天都有课。

lín bāng shēng nǐ men shén me shí hou shàng kè
林邦生：你们什么时候上课？

ān nà wǒ men zǎo shang bā diǎn shàng kè zhōng wǔ shí èr diǎn xià kè
安 娜：我们早上八点上课，中午十二点下课。

lín bāng shēng zhōng wǔ zuò shén me
林邦生：中午做什么？

ān nà wǔ fàn hòu tóng xué men yào xiū xi yí xià
安 娜：午饭后，同学们要休息一下。

lín bāng shēng měi tiān xià wǔ dōu yǒu kè ma
林邦生：每天下午都有课吗？

ān nà yǒu kè tǐ yù kè jì suàn jī kè dōu zài xià wǔ shàng
安 娜：有课，体育课、计算机课都在下午上。

lín bāng shēng nǐ wèi shén me xué xí hàn yǔ
林邦生：你为什么学习汉语？

ān nà hàn yǔ hěn yǒu yì si wǒ yě hěn xǐ huan zhōng guó tè bié
安　娜：汉语很有意思，我也很喜欢中国，特别

shì zhōng guó de míng shèng gǔ jì
是中国的名胜古迹。

lín bāng shēng nǐ zhī dào nǎ xiē běi jīng de míng shèng gǔ jì
林邦生：你知道哪些北京的名胜古迹？

ān nà wǒ zhī dào cháng chéng shí sān líng gù gōng yí hé yuán hé
安　娜：我知道长城、十三陵、故宫、颐和园和

yuán míng yuán
圆明园。

lín bāng shēng nǐ shén me shí hou shāng dà xuē de shén me shí hou bì yè
林邦生：你什么时候上大学的？什么时候毕业？

ān nà wǒ qù nián kāi shǐ shàng dà xué xiàn zài shì èr nián jí xué sheng
安　娜：我去年开始上大学，现在是二年级学生，

míng nián shàng sān nián jí hòu nián bì yè
明年上三年级，后年毕业。

14 生词 New Words

1. 系(系)	*n.*	xì	department
2. 中文系(中文系)	*n.*	Zhōngwénxì	Chinese department
3. 专业(專業)	*n.*	zhuānyè	major
4. 难(難)	*adj.*	nán	difficult
5. 发音(發音)	*v.*	fāyīn	pronounce
6. 语法(語法)	*n.*	yǔfǎ	grammar
7. 口语(口語)	*n.*	kǒuyǔ	spoken language

8.	听力(聽力)	*n.*	tīnglì	listening comprchension
9.	文学(文學)	*n.*	wénxué	literature
10.	每(每)	*pron.*	měi	every; each
11.	天(天)	*n.*	tiān	day
12.	对(對)	*v.*	duì	yes
13.	早上(早上)	*n.*	zǎoshang	morning
14.	中午(中午)	*n.*	zhōngwǔ	noon
15.	做(做)	*v.*	zuò	do
16.	午饭(午飯)	*n.*	wǔfàn	lunch
17.	要(要)	*v.*	yào	want
18.	休息(休息)	*v.*	xiūxi	have a rest
19.	下午(下午)	*n.*	xiàwǔ	afternoon
20.	体育(體育)	*n.*	tǐyù	physical education
21.	计算机(計算機)	*n.*	jìsuànjī	computer
22.	为什么(爲什麼)		wèi shénme	why
23.	特别(特别)	*adv.*	tèbié	especially
24.	名胜古迹(名勝古迹)	*n.*	míngshènggǔjì	place of historic interest
25.	知道(知道)	*v.*	zhīdào	know
26.	去年(去年)	*n.*	qùnián	last year
27.	开始(開始)	*v.*	kāishǐ	begin; start
28.	年级(年級)	*n.*	niánjí	grade
29.	明年(明年)	*n.*	míngnián	next year
30.	后年(後年)	*n.*	hòunián	year after next

专有名词 Proper Nouns

1.	北京大学(北京大學)	Běijīng Dàxué	Peking University
2.	长城(長城)	Chángchéng	the Great Wall
3.	十三陵(十三陵)	Shísānlíng	the Thirteen Tombs
4.	故宫(故宫)	Gùgōng	the Imperial Palace, the Forbidden City
5.	颐和园(頤和園)	Yíhéyuán	the Summer Palace
6.	圆明园(圓明園)	Yuánmíngyuán	the Old Summer Palace
7.	清华大学(清華大學)	Qīnghuá Dàxué	Tsinghua University

注释 Notes

一、动词谓语句 Sentences with a Verb as the Predicate

动词谓语句是指以动词或动词性短语作谓语的句子。基本格式如下:

The basic sentence pattern with a verb as the predicate is as follows:

主语 + （状语）动词（补语） Subject + (adverbial modifier) verb (complement)
我后年毕业。
我在北京大学学习。

二、带疑问代词的疑问句 Interrogative Sentence with Interrogative Pronouns

这是一种使用疑问代词的句子，我们已经学过的疑问代词有“谁、哪、哪儿、什么、多少、几”等。在使用疑问代词提问时，要注意疑问代词与其指代的名词的位置要一致，不改变原句子的语序。基本格式如下：

The following are interrogative sentences with interrogative pronouns such as “谁、哪、哪儿、什么、多少、几”. Make sure the positions of the interrogative pronoun and the noun it refers to are the same in the question and the answer when questioning. The following sentences are the basic patterns:

你是谁？	我是老师。
你在哪儿学习？	我在北京大学学习。
你们有什么课？	我们有听力课。
一条裙子多少钱？	一条裙子60元。

练习 Exercises

一、模仿 Imitation

1. 你在哪儿学习？
2. 我在北京大学学习。
3. 你在哪个系学习？
4. 你学习什么专业？
5. 你为什么学习汉语？
6. 你什么时候毕业？

二、替换 Substitution

1. 他在哪儿工作？
   他在学校工作，他是老师。

公司	总经理
工厂	会计
机关	领导
我们单位	主任
那个研究所	研究员

2. 你什么时候毕业？
我今年毕业。

明年　　　　后年

三、请对下列带阴影部分，用适当的疑问代词提问

Make Questions to the Following Shaded Parts Using the Proper Interrogative Pronouns

谁、哪、哪儿、什么、多少、几、什么时候

1. 西瓜五毛钱一斤。______
2. 这条裤子一百块。______
3. 你们班有四门课。______
4. 林邦生有两个哥哥。______
5. 安娜后年毕业。______
6. 你们的总经理是王忠。______
7. 李晓曼是秘书。______
8. 我是北京大学的学生。______
9. 我朋友是马来西亚人。______
10. 她在菲律宾学习。______
11. 刘新是他们单位的主任。______

英文翻译 English Translation

(Lin Bangsheng is a student at Tsinghua University, and he is Anna's new friend. They are talking about their studies.)

Lin Bangsheng: Where do you study?
Anna : I study at Beijing University.
Lin Bangsheng: Which department are you in?
Anna : I am in the Chinese Department.
Lin Bangsheng: What is your major?
Anna : My major is Chinese.
Lin Bangsheng: Is Chinese difficult to learn?
Anna : It is difficult to pronounce, but the grammar is not very difficult.
Lin Bangsheng: What courses are there in your major?
Anna : There are conversation, listening, grammar, and literature courses.
Lin Bangsheng: Do you have classes everyday?
Anna : Yes.
Lin Bangsheng: When do classes begin?
Anna : Classes begin at 8:00 a.m. and end at 12:00 at noon.
Lin Bangsheng: What do you do at noon?
Anna : Classmates have a rest after lunch.
Lin Bangsheng: Do you have classes every afternoon?
Anna : Yes. Physical education and computer lessons are in the afternoon.
Lin Bangsheng: Why are you learning Chinese?
Anna : Chinese is very interesting, and I like China, especially places of historic interest and scenic beauty.

Lin Bangsheng: Which historical sites do you know in Beijing?

Anna : I know the Great Wall, the Thirteen Tombs, the Forbidden City, the Summer Palace, and the Old Summer Palace.

Lin Bangsheng: When did you start to go to the university ? When will you graduate?

Anna : I came here last year. Now I am a sophomore. I will become a junior next year, and I will graduate the year after next.

第十五课 在公共汽车站

mǎ lì shì mǒu dà xué de xué sheng jié kè shì mǎ lì de lǎo péng you tā men pèng qiǎo

（马力是某大学的学生。杰克是马力的老朋友。他们碰巧

zài qì chē zhàn xiāng yù tā men yì biān děng chē yì biān tán huà

在汽车站相遇，他们一边等车一边谈话。）

jié kè mǎ lì nǐ qù nǎr

杰克：马力，你去哪儿？

mǎ lì ò shì jié kè a wǒ jìn chéng bàn diǎnr shì nǐ ne

马力：哦，是杰克啊。我进城办点儿事。你呢？

jié kè wǒ qù wáng fǔ jǐng guàng guang wǒ lái běi jīng zhè me jiǔ le hái méi qù guo wáng fǔ jǐng ne

杰克：我去王府井逛逛，我来北京这么久了，还没去过王府井呢。

mǎ lì nà shì yīng gāi qù kàn kan

马力：那是应该去看看。

jié kè tīng shuō wáng fǔ jǐng gǎi zào de bú cuò
杰克：听说王府井改造得不错。

mǎ lì kě bu shì wáng fǔ jǐng de gǎi zào zhēn shì fāng biàn le lǎo bǎi xìng
马力：可不是，王府井的改造真是方便了老百姓。

jié kè gēn wǒ yì qǐ qù ba hǎo bù hǎo
杰克：跟我一起去吧，好不好？

mǎ lì duì bu qǐ wǒ jīn tiān shí zài méi gōng fu
马力：对不起，我今天实在没工夫。

jié kè nǐ jìn chéng gàn shén me
杰克：你进城干什么？

mǎ lì wǒ yǒu yí gè dé guó péng you lái běi jīng le xiǎng cān guān gù gōng jǐng shān hé běi hǎi gōng yuán wǒ péi tā qù wán wanr
马力：我有一个德国朋友来北京了，想参观故宫、景山和北海公园，我陪他去玩玩儿。

jié kè wǒ duì běi jīng de jiāo tōng yì diǎnr yě bù qīng chu nǐ néng gěi wǒ jiè shào yí xià ma
杰克：我对北京的交通一点儿也不清楚，你能给我介绍一下吗？

mǎ lì nǐ qù wáng fǔ jǐng kě yǐ xiān zuò sān sān wǔ lù dào xī zhí mén huàn yāo líng qī lù diàn chē huò zhě zuò dì tiě
马力：你去王府井，可以先坐335路，到西直门换107路电车，或者坐地铁。

生词 New Words

1.	碰巧(碰巧)	*adv.*	pèngqiǎo	by chance
2.	汽车站(汽車站)	*n.*	qìchēzhàn	bus stop
3.	等(等)	*v.*	děng	wait for
4.	车(車)	*n.*	chē	bus; car
5.	谈话(談話)	*v.*	tánhuà	have a conversation
6.	啊(啊)	*interj.*	ā	*used at the end of a sentence to emphasize the tone*
7.	城(城)	*n.*	chéng	city; town
8.	办事(辦事)		bàn shì	handle affairs
9.	逛(逛)	*v.*	guàng	stroll
10.	没(没)	*adv.*	méi	no; not
11.	过(過)	*aux.*	guo	*an auxiliary word used after a verb to form the past tense*
12.	应该(應該)	*v.*	yīnggāi	should
13.	听说(聽説)	*v.*	tīngshuō	hear of; hear about
14.	改造(改造)	*v.*	gǎizào	rebuild
15.	方便(方便)	*adj.*	fāngbiàn	convenient
16.	老百姓(老百姓)	*n.*	lǎobǎixìng	civilians
17.	跟(跟)	*prep.*	gēn	and
18.	吧(吧)	*interj.*	ba	*used at the end of a sentence to emphasize the tone*
19.	实在(實在)	*adv.*	shízài	really
20.	工夫(工夫)	*n.*	gōngfu	time
21.	想(想)	*v.*	xiǎng	think

22. 公园(公園)	*n.*	gōngyuán	park
23. 陪(陪)	*v.*	péi	accompany
24. 对(對)	*prep.*	duì	to; for
25. 交通(交通)	*n.*	jiāotōng	transportation
26. 清楚(清楚)	*adj.*	qīngchu	clear
27. 给(給)	*prep.*	gěi	to; for
28. 先(先)	*adv.*	xiān	first; at first
29. 路(路)	*m.*	lù	measure word
30. 换(换)	*v.*	huàn	change
31. 电车(電車)	*n*	diànchē	trolley bus
32. 地铁(地鐵)	*n.*	dìtiě	subway; underground

专有名词 Proper Nouns

1. 王府井(王府井)	Wángfǔjǐng	Wangfujing *(name of a street)*
2. 德国(德國)	Déguó	Germany
3. 景山(景山)	Jǐngshān	Jingshan *(name of a park)*
4. 北海(北海)	Běihǎi	Beihai *(name of a park)*
5. 西直门(西直門)	Xīzhímén	Xizhimen *(name of a place in Beijing)*
6. 杰克(杰克)	Jiékè	Jack

注释 Notes

一、连动句 Sentences Using a Series of Verbs

连动句是汉语中两个动词前后相连的语法现象，前一动词多表示倾向、趋势、协调及配合等条件，后一动词为主要动词。

Sentences using a series of verbs refer to a grammatical phenomenon in which two verbs appear together; the first verb indicates conditions such as tendency, trend, harmony, and cooperation, while the second verb is the main verb.

基本格式 the Basic Patterns

连动句 Sentences Using a Series of Verbs
我去王府井逛逛。
我陪他去玩玩儿。

二 动词重叠 Verb Reduplication

动词重叠表示动作比较轻松、时间短、有尝试意味。未然性动作动词，单音节的有 AA 和 A 一 A 两种重叠形式，双音节的重叠形式为 ABAB 式。

Verb reduplication is often used to indicate easy, transient, and tentative actions. The reduplication form of a monosyllabic verb of future action is AA and A 一 A. The reduplication form of a disyllabic verb of future action is ABAB.

动词重叠 Verb Reduplication
你能给我介绍介绍吗？
我去王府井逛逛。
我陪他去玩玩儿。
我陪他去故宫看一看。

练习 Exercises

一、模仿 Imitation

1. 我进城办点儿事。
2. 我去王府井逛逛。
3. 我陪他去玩玩儿。
4. 我有一个德国朋友来北京了。
5. 你到西直门换107路电车。

二、替换 Substitution

1. 我进城办事。

去图书馆	学习	去故宫	参观
到西直门	换车	来北京	上大学
去北海公园	玩	到王府井	买东西
去公司	工作	到上海	出差
去朋友宿舍	看电视		

2. 我能看看这本影集吗？

件 毛衣　　双 鞋　　条 裤子　　条 围巾　　个 西瓜

三、把下列词语组成正确的句子

Make up Sentences Using the Following Words.

1. 英国、我、大学、去、上

____

2. 介绍、这、请、我们、老师、介绍、学校、个

____

3. 逛逛、去、想、王府井、我

____

4. 上课、去、学校、每天、我

____

5. 没、还、呢、我、去、过、圆明园

____

6. 实在、今天、我、工夫、没

____

7. 个、对、专业、这、不、我、一点儿、清楚、也

____

8. 碰巧、我、在、她、和、相遇、汽车站

____

英文翻译 English Translation

(Ma Li is a student at a university. Jack is his old friend. They meet each other at the bus stop, and are talking while waiting for the bus.)

Jack : Ma Li, where are you going?

Ma Li: Oh, Jack. I am going to handle some affairs in the city. How about you?

Jack : I am just going to Wangfujing to have a stroll. I have been in Beijing for a long time, but I have not been there since I came here.

Ma Li: Then it is necessary to have a look.

Jack : I heard that Wangfujing has been rebuilt.

Ma Li: That is right. The rebuilding of Wangfujing benefits the people a lot.

Jack : Come with me, all right?

Ma Li: Sorry, I am really not free today.

Jack : What are you doing in the city?

Ma Li: One of my friends, a Gcrman man, has come to Beijing. He would like to visit the Imperial Palace, Jingshan Park, and Beihai Park. I have to show him around.

Jack : I know nothing about transportation in Beijing. Can you give me a brief introduction?

Ma Li: You can take bus No.335 first, then change to trolley bus No. 107 or by subway to the Xizhimen stop.

第十六课 我的大学

jié kè shì měi guó rén tā zài běi jīng yǔ yán dà xué xué xí tā hé ān nà tán xué xiào shè bèi
（杰克是美国人，他在北京语言大学学习。他和安娜谈学校设备。）

ān nà nǐ men xué xiào zài shén me dì fang
安娜：你们学校在什么地方？

jié kè wǒ men xué xiào zài běi jīng de xī jiāo zài qīng huá dà xué dōng bian lí qīng huá dà xué bù yuǎn
杰克：我们学校在北京的西郊，在清华大学东边，离清华大学不远。

ān nà xué xiào qián bian shì shén me dān wèi
安娜：学校前边是什么单位？

jié kè xué xiào qián bian shì shí yóu yán jiū suǒ páng biān yǒu yí gè dà shāng diàn
杰克：学校前边是石油研究所，旁边有一个大商店。

ān nà xué xiào de bàn gōng lóu zài nǎr
安娜：学校的办公楼在哪儿？

jié kè bàn gōng lóu zài jiào xué lóu xī bian bàn gōng lóu lǐ yǒu yí ge yín háng
杰克：办公楼在教学楼西边。办公楼里有一个银行。

ān nà jiào xué lóu lǐ yǒu shén me
安娜：教学楼里有什么？

jié kè dāng rán shì jiào shì yī céng yǒu yí ge diàn yǐng tīng měi tiān xià wǔ dōu fàng yìng yīng yǔ diàn yǐng èr céng yǒu yí ge shè bèi yōu liáng de diàn jiào shì tí gōng dà liàng de yǔ yán cái liào hé yīn xiàng zī liào
杰克：当然是教室，一层有一个电影厅，每天下午都放映英语电影。二层有一个设备优良的电教室，提供大量的语言材料和音像资料。

ān nà tú shū guǎn zài shén me dì fang
安娜：图书馆在什么地方？

jié kè zài bàn gōng lóu hòu bian tú shū guǎn lǐ bian yǒu sì ge dà xíng yuè lǎn shì xué sheng men kě yǐ zài nàr ān ān jìng jìng de dú shū xué xí
杰克：在办公楼后边。图书馆里边有四个大型阅览室，学生们可以在那儿安安静静地读书学习。

ān nà xué xiào yǒu shén me tǐ yù shè shī
安娜：学校有什么体育设施？

jié kè tú shū guǎn běi bian yǒu ge yóu yǒng chí nán bian shì lán qiú chǎng hé pái qiú chǎng
杰克：图书馆北边有个游泳池，南边是篮球场和排球场。

ān nà xué sheng sù shè yě zài xué xiào lǐ ma
安娜：学生宿舍也在学校里吗？

jié kè duì yóu yǒng chí páng bian jiù shì xué sheng sù shè nà lǐ yǒu xǐ yī diàn lǐ fà guǎn hé xiǎo mài bù
杰克：对，游泳池旁边就是学生宿舍。那里有洗衣店、理发馆和小卖部。

生词 New Words

1.	地方(地方)	*n.*	dìfang	place
2.	西郊(西郊)	*n.*	xījiāo	western suburb
3.	东边(東邊)	*n.*	dōngbian	east
4.	前边(前邊)	*n.*	qiánbian	front
5.	石油(石油)	*n.*	shíyóu	petroleum; oil
6.	商店(商店)	*n.*	shāngdiàn	shop; store
7.	西边(西邊)	*n.*	xībian	west
8.	银行(銀行)	*n.*	yínháng	bank
9.	当然(當然)	*adv.*	dāngrán	of course; certainly
10.	教室(教室)	*n.*	jiàoshì	classroom
11.	层(層)	*m.*	céng	floor; storey
12.	电影厅(電影廳)	*n.*	diànyǐngtīng	movie hall
13.	放映(放映)	*v.*	fàngyìng	show
14.	电影(電影)	*n*	diànyǐng	film; movie
15.	电教室(電教室)	*n.*	diànjiàoshì	multimedia lab
16.	十分(十分)	*adv.*	shífēn	very
17.	优良(優良)	*adj.*	yōuliáng	excellent
18.	提供(提供)	*v.*	tígōng	provide
19.	大量(大量)	*adj.*	dàliàng	plenty of
20.	语言(語言)	*n.*	yǔyán	language
21.	材料(材料)	*n.*	cáiliào	material
22.	音像(音像)	*n.*	yīnxiàng	video
23.	资料(資料)	*n.*	zīliào	material

24. 后边(後邊)	*n.*	hòubian	rear; back
25. 大型(大型)	*adj.*	dàxíng	big
26. 安静(安静)	*adj*	ānjìng	quiet
27. 地(地)	*aux.*	de	*a structrual auxiliary word*
28. 读书(讀書)	*v.*	dúshū	read
29. 设施(設施)	*n.*	shèshī	facility
30. 北边(北邊)	*n.*	běibiān	north
31. 游泳池(游泳池)	*n.*	yóuyǒngchí	swimming pool
32. 南边(南邊)	*n.*	nánbian	south
33. 篮球场(籃球場)	*n.*	lánqiúchǎng	basketball field
34. 排球场(排球場)	*n.*	páiqiúchǎng	volleyball court
35. 旁边(旁邊)	*n.*	pángbian	side
36. 那里(那裏)	*n.*	nàli	therc
37. 洗衣店(洗衣店)	*n.*	xǐyīdiàn	laundry shop
38. 理发馆(理髮館)	*n.*	lǐfàguǎn	barbershop
39. 小卖部(小賣部)	*n.*	xiǎomàibù	small shop; snack counter

注释 Notes

一、方位词 Location Words

表示方向相对位置的词叫方位词。方位词有单纯方位词“东、西、南、北、前、后、左、右、上、下、里、外”等，也有合成方位词“东边、西边、南边、北边、前边、后边、左边、右边、上边、下边、里边、外边”等。单纯方位词常附着在其他名词后边，很少单用，合成方位词可以单用。

A word that indicates a location is known as a location word. Location words can be classified as two kinds: One is a simple location word such as “东、西、南、北、前、后、左、右、上、下、里、外”; the other is a compound location word such as “东边、西边、南边、北边、前边、后边、左边、右边、上边、下边、里边、外边”. The simple location words usually follow nouns, and are rarely used alone. The compound location words also usually follow nouns, but they can be used alone.

东		东边	清华大学东边有一个商店。	东边有一个商店。
西		西边	我们学校在研究所西边。	西边是一个研究所。
南		南边	商店南边	南边
北		北边	教学楼北边	北边
前		前边	办公楼前边	前边
后		后边	理发馆后边	后边
左		左边	小卖部左边	左边
右		右边	图书馆右边	右边
上	桌子上有一本书。	上边	桌子上边	上边

16

下		下边	桌子下边	下边
里	安娜在教室里学习。	里边	教室里边	里边
外		外边	教室外边	外边

二、"有"字句 "有" Sentence

"有"句型用来表示"某处有某物""某物在某处"或"某处是某物"。其中，某处一般用"处所名词+方位词"表示。"某处有某物"的宾语是不一定的，只能用普遍事物，不能使用专名。

"有" sentence patterns are used to indicate "there is something in some place", "something is in some place", or " it is something in some place". The "place name + location word" pattern is often used to indicate "place". The object of "there is something in some place" is indefinite, and cannot be used with proper names, only common names.

某处+有+某物 Some Place + 有 + Something
学校里有一个大商店。
办公楼里有一个银行。
图书馆北边有个小卖部。
那儿有两个大型阅览室。

某物+在+某处 Something + 在 + Some Place
我们学校在北京大学东边。
教学楼在办公楼西边。
办公楼在图书馆楼后边。
游泳池在学生宿舍旁边。

某处+是+某物 Some Place + 是 + Something
游泳池旁边是学生宿舍。
图书馆北边是小卖部。
学生宿舍西边是篮球场。

练习 Exercises

一、模仿 Imitation

1. 学校前边是石油研究所。
2. 办公楼里有一个银行。
3. 我们学校在清华大学东边。
4. 学校旁边是商店。
5. 那儿有四个大型阅览室。
6. 游泳池在图书馆北边。

二、替换 Substitution

1. 学校附近有一个商店。

办公楼	大学	电影院	公园	公司
机关	篮球场	理发馆	排球场	名胜古迹

2. 游泳池在什么地方？
   游泳池在学生宿舍旁边。

电教室	电影厅	教学楼篮球场	理发馆
排球场	商店	食堂	宿舍

3. 游泳池旁边是什么地方？
   游泳池旁边是学生宿舍。

   电教室　电影厅　教学楼　篮球场
   理发馆　排球场　商店　食堂　宿舍

三、试比较下列两组句子的意思是否一样
Compare the Meanings of Following Two Groups of Sentences

1. 图书馆北边有个小卖部。—— 小卖部在图书馆北边。
2. 办公楼在图书馆后边。—— 办公楼后边是图书馆。
3. 学生宿舍西边是篮球场。——篮球场东边是学生宿舍。
4. 洗衣店旁边有一个食堂。—— 食堂旁边有一个洗衣店。
5. 体育馆后边是研究所。—— 研究所后边是体育馆。
6. 汽车站东边是地铁。—— 地铁西边是汽车站。
7. 公园附近有一个公司。—— 公司在公园附近。
8. 排球场在篮球场南边。—— 篮球场北边是排球场。

英文翻译 English Translation

(Jack is from the United States. He is studying at Beijing Language University, and is talking about the university's facilities with Anna.)

Anna: Where is your university?

Jack: It is in the western suburbs of Beijing, close to the east gate of Tsinghua University.

Anna: What is in front of your school?

Jack : Petroleum Graduate School is in front of our university, and there is a big store beside it.

Anna: Where is the office building?

Jack : The office building is to the west of the school building, and there is a bank in the office building.

Anna: What is in the school building?

Jack : There are classrooms, of course. And, there is also a movie hall on the first floor, showing English movies every afternoon. There is a multimedia lab with excellent equipment on the second floor, where plenty of language materials and video information are provided.

Anna: Where is the library?

Jack : It is behind the office building. There are four reading rooms where students can read and study quietly.

Anna: Are there any exercise facilities?

Jack : There is a swimming pool to the north of the library. To the south of it, there are courts for volleyball and basketball.

Anna: Are the dormitories on campus?

Jack : Yes, they are beside the swimming pool. There is a laundry, a barbershop, and other stores there.

第十七课 谈语言

jié kè hé ān nà zài tán yǔ yán wèn tí
（杰克和安娜在谈语言问题。）

jié kè　nǐ huì shén me yǔ yán
杰克：你会什么语言？

ān nà　wǒ huì shuō yì diǎnr hàn yǔ
安娜：我会说一点儿汉语。

jié kè　nǐ hàn yǔ shuō de zěn me yàng
杰克：你汉语说得怎么样？

ān nà　shuō de bú tài hǎo　fā yīn hěn kùn nan　hàn yǔ yǔ fǎ yě bù róng yì
安娜：说得不太好，发音很困难。汉语语法也不容易。

jié kè　nǐ néng kàn zhōng wén bào zhǐ ma
杰克：你能看中文报纸吗？

ān nà　néng kàn yì xiē　kě shì yǒu bù shǎo hàn zì hái bù rèn shi　děi chá cí diǎn
安娜：能看一些，可是有不少汉字还不认识，得查词典。

jiē kē　　nǐ néng shuō dé yǔ ma
杰克：你能说德语吗？

ān nà　　bù néng　wǒ bú huì dé yǔ　nǐ ne
安娜：不能，我不会德语。你呢？

jié kè　　wǒ dǒng yì xiē
杰克：我懂一些。

ān nà　　nǐ xué guò dé yǔ ma
安娜：你学过德语吗？

jié kè　　wǒ xué guò liǎng nián　zài yì suǒ jìn xiū xué yuàn xué de　měi ge xīng qī yǒu sì jié kè
杰克：我学过两年。在一所进修学院学的，每个星期有四节课。

ān nà　　lǎo shī shì nǎ guó rén
安娜：老师是哪国人？

jié kè　　dé guó rén　tā hěn rè qíng　yě hěn yǒu nài xīn　wǒ men dōu hěn xǐ huan tā
杰克：德国人，他很热情，也很有耐心。我们都很喜欢他。

ān nà　　nǐ xiàn zài hái shǐ yòng dé yǔ ma
安娜：你现在还使用德语吗？

jié kè　　cháng yòng　wǒ jīng cháng péi mào yì dài biǎo tuán qù dé guó tán pàn　wǒ dān rèn dài biǎo tuán de fān yì　yǒu shí hou wèi yì xiē gōng sī fān yì zī liào　yǒu shí hou yě péi tǐ yù dài biǎo tuán　huò zhě wén huà dài biǎo tuán qù dé guó
杰克：常用，我经常陪贸易代表团去德国谈判。我担任代表团的翻译。有时候为一些公司翻译资料，有时候也陪体育代表团，或者文化代表团去德国。

ān nà　zhēn de　nà nǐ de dé yǔ shuǐ píng xiāng dāng gāo le
安娜：真的，那你的德语水平相当高了。
jié kè　bù gǎn dāng　hái yào jì xù xué xí　jì xù tí gāo
杰克：不敢当，还要继续学习，继续提高。

生词 New Words

1.	困难(困難)	*adj.*	kùnnan	difficult
2.	容易(容易)	*adj.*	róngyì	easy
3.	报纸(報紙)	*n.*	bàozhǐ	newspaper
4.	一些(一些)	*m.*	yìxiē	some
5.	可是(可是)	*conj.*	kěshì	but
6.	认识(認識)	*v.*	rènshi	know; recognize
7.	查(查)	*v.*	chá	look into; consult
8.	词典(詞典)	*n.*	cídiǎn	dictionary
9.	进修(進修)	*v.*	jìnxiū	engage in advancecl studies
10.	学院(學院)	*n.*	xuéyuàn	institute; academy
11.	热情(熱情)	*adj.*	rèqíng	enthusiastic; passionate
12.	耐心(耐心)	*adj.*	nàixīn	patient
13.	使用(使用)	*v.*	shǐyòng	use
14.	贸易(貿易)	*n.*	màoyì	trade
15.	代表团(代表團)	*n.*	dàibiǎotuán	delegation
16.	谈判(談判)	*v.*	tánpàn	negotiate
17.	担任(擔任)	*v.*	dānrèn	act as
18.	翻译(翻譯)	*v.,n.*	fānyì	interpret; interpreter, translate; translator

19. 为(爲)	*prep.*	wèi	in order to; for
20. 文化(文化)	*n.*	wénhuà	culture
21. 那(那)	*conj.*	nà	then
22. 水平(水平)	*n.*	shuǐpíng	level
23. 高(高)	*adj.*	gāo	high
24. 继续(繼續)	*v.*	jìxù	continue
25. 提高(提高)	*v.*	tígāo	improve

专有名词 Proper Nouns

1. 中文(中文)	Zhōngwén	Chinese*(language)*
2. 汉字(漢字)	Hànzì	Chinese character

注释 Notes

一、能愿动词"能" Modal Verb"能"

能愿动词用作句子的主要谓语，后边要有一般动词。能愿动词"能"表示能力和客观因素是否允许。

If a modal verb is the main predicate in a sentence, usually it is followed by a common verb. The modal verb "能" indicates the permission of abilities and actual factors.

她能看中文报纸。
他不能翻译。
这儿不能游泳。
篮球场不能打排球。
这儿能滑冰。

二、能愿动词“会” Modal Verb “会”

能愿动词用作句子的主要谓语，后边要有一般动词。能愿动词“会”表示经学习掌握的技巧和本领。

If a modal verb is the main predicate in a sentence, usually it is followed by a common verb. The modal verb “会” indicates one’s skills and abilities after learning.

我会说汉语。
我会滑冰。
我会游泳。
我会打台球。

练习 Exercises

一、模仿 Imitation

1. 我会说汉语。
2. 你能看中文报纸吗？
3. 有不少汉字还得查词典。
4. 每个星期有四节课。
5. 我经常陪贸易代表团去德国谈判。

二、替换 Substitution

1. 安娜汉语说得怎么样？
   她汉语说得非常好。

   俄语　法语　日语　英语　韩语
   马来西亚语　泰语　印度尼西亚语　越南语

2. 你能看中文报纸吗？
能看。

俄文　法文　日文　英文　韩文
马来西亚文　泰文　印度尼西亚文　越南文

三、请在下列句子的括号里填上“会”或“能”

Fill in the Following Blanks with “会” or “能”

1. 这里不（　　）抽烟。
2. 王忠不（　　）打排球。
3. 她不（　　）抽烟。
4. 我有工作，不（　　）陪你玩儿。
5. 工作时间，不（　　）去看电影。
6. 我不（　　）滑冰。

英文翻译 English Translation

(Jack and Anna are talking about languages.)

Jack : What languages do you speak?
Anna: I speak a little Chinese.
Jack : How is your Chinese?
Anna: Just so so. It is difficult to pronounce, and the grammar is difficult to learn as well.
Jack : Can you read Chinese newspapers?
Anna: I can read some, but I still cannot recognize many Chinese characters, so I have to use the dictionary.

Jack : Can you speak German?

Anna: No, I cannot. Can you?

Jack : I know a little German.

Anna: How do you learn German?

Jack : I have attended an advanced studies institute to learn it for two years, and had four classes each week.

Anna: Where is the teacher from?

Jack : He is from Germany. He is so passionate and patient that we all like him.

Anna: Do you use German frequently now?

Jack : Yes. I am an interpreter for delegations and often accompany them to Germany to negotiate. Sometimes I translate materials for companies, and sometimes I accompany gymnastic delegations or cultural delegations to Germany.

Anna: Really? Then your German must be terrific!

Jack : Flattered. I should continue to learn and improve it.

第十八课 在农贸市场买东西

mǎ lì hé lǐ xiǎo màn yì qǐ qù nóng mào shì chǎng mǎi dōng xi
（马力和李晓曼一起去农贸市场买东西。）

mǎ lì jīn tiān de cài kàn shàng qù zhēn xīn xiān nǐ kàn zhè huáng gua zhè xī hóng shì zhǔn shì qīng zǎo cái zhāi xià lái de
马　力：今天的菜看上去真新鲜，你看这黄瓜，这西红柿，准是清早才摘下来的。

lǐ xiǎo màn běi jīng rén yǒu kǒu fú cài de zhǒng lèi zhè me duō
李晓曼：北京人有口福，菜的种类这么多。

mǎ lì nǐ shuō wǒ men mǎi xiē shén me
马　力：你说，我们买些什么？

lǐ xiǎo màn mǎi diǎnr xī hóng shì ba
李晓曼：买点儿西红柿吧。

mǎ lì xíng
马　力：行。

zǒu xiàng yí ge tān wèi duì mài cài de rén shuō
（走向一个摊位，对卖菜的人说：）

mǎ lì qǐng wèn nǐ de xī hóng shì suān bu suān
马　力：请问，你的西红柿酸不酸？

cài nóng bù suān tián de hěn nǐ cháng chang
菜　农：不酸，甜得很，你尝尝？

mǎ lì xī hóng shì duō shao qián yì jīn
马　力：西红柿多少钱一斤？

cài nóng sān kuài qián yì jīn
菜　农：三块钱一斤。

mǎ lì nà zhǒng ne
马　力：那种呢？

cài nóng nà zhǒng sì kuài yì jīn
菜　农：那种四块一斤。

mǎ lì wǒ yào zhè zhǒng
马　力：我要这种。

cài nóng nín yào jǐ jīn
菜　农：您要几斤？

mǎ lì wǒ yào liǎng jīn wǒ hái yào yí kuài dōng guā yì kē bái cài hé sān jīn tǔ dòu
马　力：我要两斤。我还要一块冬瓜、一棵白菜和三斤土豆。

生词 New Words

1.	农贸市场(農貿市場)		nóngmào shìchǎng	farmers' market
2.	看上去(看上去)		kàn shàngqù	look like
3.	新鲜(新鮮)	*adj.*	xīnxiān	fresh
4.	黄瓜(黄瓜)	*n.*	huánggua	cucumber
5.	西红柿(西紅柿)	*n.*	xīhóngshì	tomato
6.	准(準)	*adv.*	zhǔn	certainly
7.	清早(清早)	*n.*	qīngzǎo	early morning
8.	摘(摘)	*v.*	zhāi	pick
9.	北京人(北京人)	*n.*	Běijīngrén	native in Beijing
10.	口福(口福)	*n.*	kǒufú	the enioyment of good foods
11.	菜(菜)	*n.*	cài	vegetable
12.	种类(種類)	*n.*	zhǒnglèi	kind; type
13.	买(買)	*v.*	mǎi	buy
14.	行(行)	*adj.*	xíng	OK; all right
15.	向(向)	*prep.*	xiàng	toward
16.	摊位(攤位)	*n.*	tānwèi	booth
17.	卖(賣)	*v.*	mài	sell
18.	酸(酸)	*adj.*	suān	sour
19.	甜(甜)	*adj.*	tián	sweet
20.	尝(嘗)	*v.*	cháng	taste; try
21.	种(種)	*n.*	zhǒng	kind; type
22.	冬瓜(冬瓜)	*n.*	dōngguā	white gourd

23. 棵(棵)	*m.*	kē	*a measure word for a tree, a cabbage, etc.*
24. 白菜(白菜)	*n.*	báicài	Chinese cabbage
25. 土豆(土豆)	*n.*	tǔdòu	potato

注释 Notes

一、名词谓语句 Sentences with a Noun as the Predicate

用名词作谓语的句子叫作名词谓语句。名词谓语句一般用“不是”作为否定。此类句型是常用口语句型，多用于表达时间、价钱、籍贯和年龄等日常问题。

A sentence with a noun as the predicate means that the noun is used as the predicate in a sentence; such a sentence uses “不是” as its negative form. Usually, this sentence pattern is used in spoken Chinese to express daily matters, such as time, price, nationality, and age.

主语 + 名词 Subject + Nominal Predicate
今天不是星期六，今天星期日。
西红柿三块钱一斤。
张先生上海人。
他今年二十五岁。

二、量词 Measure Words

量词是汉语中一种特殊词汇，一般来说，名词前边如果有数词或者有指示代词（这、那），那么在名词前要用量词。

Measure words are a special part of vocabulary in Chinese. Generally, if there is a numeral or an indicative pronoun such as "this" or "that" before a noun, a measure word should be put between the words.

(数词、这、那) + 量词 + 名词 (Numeral, this, that) +Measure Word+Noun
一件衬衣
两条裤子
这种西红柿
那所学校

我们学过的量词有 The measure words learned so far are:							
个	件	斤	块	毛	双	条	号
月	所	门	节	层	棵	种	路

练习 Exercises

一、模仿 Imitation

1. 今天的菜看上去真新鲜。
2. 我们买点儿西红柿吧。
3. 这种西红柿酸不酸？
4. 西红柿三块钱一斤。
5. 我还要一块冬瓜和一棵白菜。

二、替换 Substitution

1. 你说，我们买些什么？
   买点儿西红柿吧。

   西瓜　土豆　黄瓜　冬瓜　菜
   白菜　香蕉　桃子　苹果　荔枝

2. 你的西红柿酸不酸？
   不酸，甜得很。

   桃子　荔枝　苹果

3. 西红柿多少钱一斤？

   衬衣　件　大衣　件　裤子　条　毛衣　件
   裙子　条　围巾　条　冬瓜　斤　黄瓜　斤

三、指出下列名词的对应量词

Choose the Correct Measure Words for the Following Nouns

个　件　斤　双　条　所　棵

西瓜___　土豆___　鞋___　篮球___　衬衣___　大衣___

裙子___　围巾___　裤子___　研究所___　毛衣___　白菜___

英文翻译 English Translation

(Ma Li and Li Xiaoman are shopping at the Farmers' Market.)

Ma Li : Today's vegetables look quite fresh. Look at the cucumbers and the tomatoes, they must have been picked this early morning.

Li Xiaoman: The natives in Beijing are lucky to be able to eat so many kinds of vegetables.

Ma Li : What do you suggest we buy?

Li Xiaoman: How about buying some tomatoes?

Ma Li : OK.

(He goes toward a booth and asks the vegetable peasant:)

Ma Li : Sir, do your tomatoes taste sour?

Vegetable peasant: No, they are sweet, try some.

Ma Li : How much do they cost per Jin?

Vegetable peasant: 3 yuan.

Ma Li : How about that kind?

Vegetable peasant: They are 4 yuan per Jin.

Ma Li : I want this.

Vegetable peasant: How many do you want?

Ma Li : I want two Jin, and I want a white gourd, a cabbage, and three Jin of potatoes.

第十九课 谈爱好

lǐ xiǎo màn hé mǎ lì zài yì qǐ tán zì jǐ de ài hào
（李晓曼和马力在一起谈自己的爱好。）

lǐ xiǎo màn　wǒ xǐ huan pǎo bù　yóu yǒng　pá shān　dōng tiān xǐ huan huá bīng
李晓曼：我喜欢跑步、游泳、爬山，冬天喜欢滑冰。

mǎ lì　nǐ xǐ huan bu xǐ huan dǎ yǔ máo qiú
马　力：你喜欢不喜欢打羽毛球？

lǐ xiǎo màn　wǒ dǎ guò yǔ máo qiú　kě shì　dǎ de bù zěn me yàng
李晓曼：我打过羽毛球，可是，打得不怎么样。

mǎ lì　nǐ dǎ bu dǎ tái qiú
马　力：你打不打台球？

lǐ xiǎo màn　wǒ tǐng xǐ huan dǎ tái qiú de　wǒ de tái qiú jì shù hái bú cuò ne
李晓曼：我挺喜欢打台球的，我的台球技术还不错呢。

nǐ ne
你呢？

mǎ lì wǒ duì yùn dòng bù gǎn xìng qù wǒ xǐ huan jí yóu
马　力：我对运动不感兴趣。我喜欢集邮。

lǐ xiǎo màn wǒ yě xǐ huan jí yóu
李晓曼：我也喜欢集邮。

mǎ lì tài hǎo le lái kàn kan wǒ de jì niàn yóu piào
马　力：太好了，来，看看我的纪念邮票。

lǐ xiǎo màn nǐ de wài guó yóu piào zhēn bù shǎo
李晓曼：你的外国邮票真不少。

mǎ lì kě bu shì zhè xiē dōu shì wǒ de wài guó péng you sòng gěi wǒ de
马　力：可不是，这些都是我的外国朋友送给我的。

lǐ xiǎo màn zhè shì nǎ guó de yóu piào
李晓曼：这是哪国的邮票？

mǎ lì zhè shì yìn dù ní xī yà de yóu piào zhè shì yí tào niǎo lèi de yóu piào zhè shì zhí wù lèi de zhè shì dòng wù lèi de
马　力：这是印度尼西亚的邮票，这是一套鸟类的邮票。这是植物类的，这是动物类的。

lǐ xiǎo màn nǐ yǒu méi yǒu nà tào xīn chū bǎn de zhōng guó shān shuǐ huà yóu piào
李晓曼：你有没有那套新出版的中国山水画邮票？

mǎ lì shì bú shì zhè tào
马　力：是不是这套？

lǐ xiǎo màn duì jiù shì zhè tào yóu piào
李晓曼：对，就是这套邮票。

mǎ lì kě xī wǒ zhǐ yǒu zhè yí tào yào bu wǒ yí dìng sòng nǐ yí tào
马　力：可惜，我只有这一套。要不，我一定送你一套。

lǐ xiǎo màn méi guān xi
李晓曼：没关系。

生词 New Words

1.	爱好(愛好)	*n.*	àihào	hobby
2.	跑步(跑步)	*n.*	pǎobù	jogging
3.	爬山(爬山)		pá shān	mountain climbing
4.	冬天(冬天)	*n.*	dōngtiān	winter
5.	羽毛球(羽毛球)	*n.*	yǔmáoqiú	badminton
6.	台球(臺球)	*n.*	táiqiú	billiards
7.	技术(技術)	*n.*	jìshù	skill
8.	挺(挺)	*adv.*	tǐng	quite
9.	运动(運動)	*n.*	yùndòng	sports
10.	感(感)	*v.*	gǎn	feel
11.	兴趣(興趣)	*n.*	xìngqù	interest
12.	集邮(集郵)	*v.*	jíyóu	collect stamps
13.	纪念(紀念)	*v.*	jìniàn	commemorate
14.	邮票(郵票)	*n.*	yóupiào	stamp
15.	送(送)	*v.*	sòng	send; give
16.	鸟类(鳥類)	*n.*	niǎolèi	birds
17.	植物(植物)	*n.*	zhíwù	plant
18.	类(類)	*m.*	lèi	sort; category
19.	动物(動物)	*n.*	dòngwù	animal
20.	出版(出版)	*v.*	chūbǎn	publish
21.	山水画(山水畫)	*n.*	shānshuǐhuà	landscape painting
22.	可惜(可惜)	*adj.*	kěxī	pitiful
23.	要不(要不)	*conj.*	yàobu	otherwise

专有名词 Proper Nouns

印度尼西亚(印度尼西亞) Yìndùníxīyà Indonesia

注释 Notes

一、正反疑问句 Affirmative-Negative Interrogative Sentence

一般正反疑问句，其谓语是由动词或形容词的肯定形式与否定形式并列起来构成的。说话人要求听话人选择其中的一项。

Usually, the predicate of an affirmative-negative question is composed of an affirmative form and a negative form of a verb or an adjective. The speaker expects the listener to choose one of the forms as an answer.

今天你忙不忙？
你冷不冷？
你有没有中国朋友？
他是不是你们的汉语老师？
你喜欢不喜欢打羽毛球？
你会不会打篮球？

注意：在正反疑问句中，形容词前边不能加程度副词修饰，如：不能说："今天你很忙不很忙？"

Note: An adverb of degree cannot be placed before the adjective of the affirmative-negative question. For example, you cannot say "今天你很忙不很忙？"

二、"很 + 喜欢、想"

副词"很"专门修饰形容词的，但是某些与人的情感有关系的动词也可以用它来修饰。如："喜欢"、"想"等。

The adverb "很" is specifically used to modify adjectives, and it can also be used to modify some verbs relating to human emotions such as "喜欢"、"想".

我很喜欢打台球。
我很想去颐和园看看。

练习 Exercises

一、模仿 Imitation

1. 你喜欢不喜欢打羽毛球？
2. 你打不打台球？
3. 你有没有那套新出版的中国山水画邮票？
4. 这些都是我的外国朋友送给我的。
5. 我的台球技术还不错呢。

二、替换 Substitution

1. 你喜欢不喜欢跑步？
   我不喜欢跑步，我喜欢滑冰。

游泳	游泳	爬山
打篮球	打篮球	打排球
打羽毛球	打羽毛球	打台球

2. 我打台球的技术还不错呢。

   游泳　打篮球　打排球　打羽毛球

3. 你有没有山水画邮票？
   没有。

动物类邮票	植物类邮票	今天的报纸
汉语词典	计算机	影集

三、用正反疑问句改写下列句子

Rewrite the Following Sentences with the Affirmative-Negative Interrogative Sentence Pattern

1. 今天我很忙。

 ____

2. 今天不太冷。

 ____

3. 我爸爸妈妈身体很好。

 ____

4. 我没有中国朋友。

 ____

5. 他是我们的英语老师。

 ____

6. 我喜欢打乒乓球。

 ____

7. 我不会滑冰。

 ____

8. 她能看英文报纸。

 ____

9. 我买黄瓜。

 ____

10. 我们早上锻炼身体。

 ____

11. 我认识安娜。

 ____

英文翻译 English Translation

(Li Xiaoman and Ma Li are talking about hobbies.)

Li Xiaoman: I like running, swimming, climbing, and ice skating in winter.
Ma Li : Do you like playing badminton?
Li Xiaoman: I have played badminton, but I am not good at it.
Ma Li : Do you like playing billiards?
Li Xiaoman: Yes, I do. My billiards skills are very good. How about you?
Ma Li : I do not like sports. I like collecting stamps.
Li Xiaoman: I like collecting stamps, too.
Ma Li : That is great! Come on, have a look at my commemorative stamps.
Li Xiaoman: You really have many foreign stamps.
Ma Li : That is right. My foreign friends gave these stamps to me.
Li Xiaoman: In which country was this stamp issued?
Ma Li : This stamp was issued in Indonesia. This is a set of stamps of birds, this set belongs to the category of plants, and these belong to animals.
Li Xiaoman: Do you have the latest issued set of Chinese landscape stamps?
Ma Li : Do you mean this set?
Li Xiaoman: Yes.
Ma Li : It is a pity that I have only one set, otherwise I would give you one.
Li Xiaoman: Never mind.

第二十课　综合测验

一、听录音把下列拼音中缺少的部分填写出来
Listen to the Recording and Fill in the Blanks

1. 听后填入正确的声母
Fill in the Blanks with the Right Initials after Listening to the Recording

拼音 *Pinyin*
dì( )ú
( )uǒchē
nǔ( )ì
( )ùmù
lǐ( )àng
shì( )iè
( )īng( )én
( )ǐ( )ǔ
( )ū( )í
( )àng( )i
( )ē( )ué
( )ōng( )uò
( )ǔ( )in
( )iàn( )uà
( )iāng ( )iāo

2. 听后填入正确的韵母

Fill in the Blanks with the Right Finals after Listening to the Recording

拼音 *Pinyin*
d( )bào
sh( )huó
sh( )zi
bàozh( )
táiq( )
sh( )j( )
f( )zh( )
f( )d( )
b( )g( )
h( )p( )
b( )p( )
h( )h( )
g( )zh( )
j( )y( )
zh( )t( )

3. 听后填入正确的声调

Fill in the Blanks with the Right Tones after Listening to the Recording

拼音 *Pinyin*
bangong
biji
kaishi
qiantian
guangpan
kunnan
haizi
kongtiao
shujia
caifu
mingsheng
cidian
meili
renzhen
yanjing

二、给下列词语填上汉语拼音

Write Chinese *Pinyin* for the Following Words

汉语词汇 Chinese Words	回答 Answers	汉语词汇 Chinese Words	回答 Answers
结实		优良	
食堂		困难	
公园		电车	
计算机		乒乓球	
词典		设备	
报纸		容易	
代表团		洗衣店	
交通		石油	
影集		理发馆	
游泳池		电影厅	

三、选择适当的量词或介词填空

Fill in the Blanks with the Proper Measure Words or Prepositions

件　　双　　条　　所　　门

1. 这（　　）毛衣真好看。
2. 这（　　）黄瓜很新鲜。
3. 我想买这（　　）裙子。
4. 这（　　）鞋是爸爸的。
5. 这是姑姑买的那（　　）衬衣。
6. 我妈妈在这（　　）大学工作。
7. 我们班有五（　　）功课。
8. 那（　　）裤子很不错。

层　棵　种　个

1. 我买这（　　）白菜。
2. 我姐姐是那（　　）公司的总经理。
3. 我们的宿舍楼是 20（　　）楼。
4. 这（　　）香蕉不贵，可是很好吃。
5. 我喜欢看这（　　）报纸。
6. 学校东边有一（　　）篮球场和一（　　）游泳池。

从　离　对　在　给　跟

1. 清华大学（　　）北京大学不太远。
2. 我喜欢（　　）宿舍看电视，或者（　　）朋友聊天。
3. 我（　　）北京的交通一点儿也不清楚，你能（　　）我介绍一下吗？
4. 他不认识路，你（　　）他一起去吧。
5. 我（　　）运动不感兴趣，我喜欢集邮。
6. 我毕业后一直（　　）这家公司工作。
7. 李晓曼的爸爸妈妈（　　）里屋走出来。

四、听录音选择正确答案（文字部分）

Choose the Correct Answers after Listening to the Recording (Verbal Part)

8　85　95　62　2　9　73　31　6　7

3　10　4　5　1　20　12　11　54　100

1. 你们班有多少学生？—— 我们班有（ ）个学生。
2. 几个老师教你们？ ——（ ）个老师教我们。

3. 你有几个姐姐？ —— 我有（ ）个姐姐。
4. 你买了多少苹果？ —— 我买了（ ）个苹果。
5. 这条裤子多少钱？ —— 这条裤子（ ）块钱。
6. 那条裙子多少钱？ —— 那条裙子（ ）块钱。
7. 这双鞋多少钱？ —— 这双鞋（ ）块钱。
8. 今天星期几？ —— 今天星期（ ）。
9. 你们有几节课？ —— 我们有（ ）节课。
10. 到汽车站有多远？ —— 到汽车站有（ ）公里。
11. 你们学校有几个篮球场？—— 我们学校有（ ） 个篮球场。
12. 您要几棵白菜？ —— 我要（ ）棵白菜。

五、听录音选择正确答案（图画部分）

Choose the Correct Answers after Listening to the Recording (Visual Part)

1.

A. 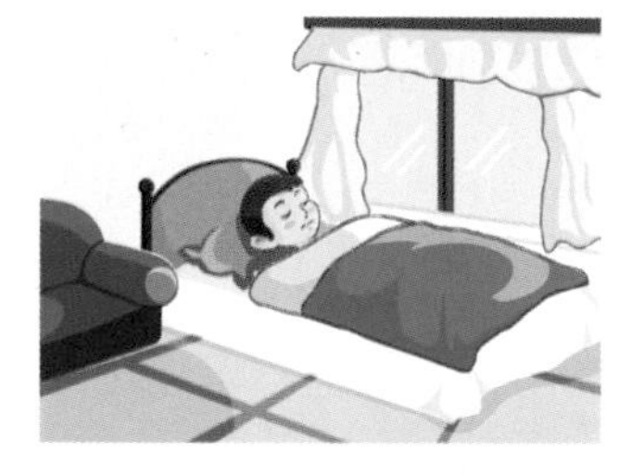

B. 

C. 

D. 

2.

A. 

B.

C.

D.

3.

A. 

B.

C.

D.

4.

A.

B.

C.

D.

5.

A.

B.

C.

D.

6.

A.

B.

C.

D.

7.

A. 

B. 

C. 

D. 

8.

A. 

B. 

C. 

D. 

9.

A. 

B. 

D. 

10.

B. 

C. 

D. 

练习答案

第一课　你好！

二、辨音 Distinguish the Sounds

辨别下列声母和韵母 Distinguish the Following Initials and Finals

声母和韵母 Initials and Finals			答案 Keys
p	m	b	p
b	p	f	f
o	e	a	o
i	u	e	i
a	i	o	a
o	u	e	u
a	i	ü	ü
o	u	i	u

辨别下列声调 Distinguish the Following Tones

声调 Tones				答案 Keys
mā	má	mǎ	mà	má
pō	pó	pǒ	pò	pò
pī	pí	pǐ	pì	pí
bā	bá	bǎ	bà	bá
yī	yí	yǐ	yì	yì
wū	wú	wǔ	wù	wǔ
fū	fú	fǔ	fù	fú
mī	mí	mǐ	mì	mǐ
bū	bú	bǔ	bù	bù
bō	bó	bǒ	bò	bó
mū	mú	mǔ	mù	mù

第二课　你忙吗？

二、辨音 Distinguish the Sounds

辨别下列声母和韵母 Distinguish the Following Initials and Finals

声母和韵母 Initials and Finals		答案 Keys
po	bo	po
ba	pa	pa
tu	du	tu
dao	tao	dao
lao	lou	lao
bai	pei	bai
nao	lou	lou

辨别下列声调 Distinguish the Following Tones

声调 Tones				答案 Keys
māo	máo	mǎo	mào	máo
mōu	móu	mǒu	mòu	móu
pāi	pái	pǎi	pài	pài
bāo	báo	bǎo	bào	bāo
fōu	fóu	fǒu	fòu	fǒu
nāi	nái	nǎi	nài	nǎi
nēi	néi	něi	nèi	nèi

第三课 这是什么?

二、辨音 Distinguish the Sounds

辨别下列声母和声调 Distinguish the Following Initials and Tones

声母和声调 Initials and Tones			答案 Keys
dāng	dàng	dǎng	dǎng
téng	tēng	tèng	téng
měn	mèn	mēn	mèn
lòng	lōng	lóng	lóng
nàn	nán	nān	nán
hōng	hǒng	hòng	hōng
gēn	gěn	kěn	kěn
kǎi	gǎi	gài	gǎi
dāng	tāng	táng	tāng
tóu	tòu	dòu	tòu
bàng	pàng	páng	pàng
pèng	bèng	béng	bèng

第四课 你有几个哥哥？

二、辨音 Distinguish the Sounds

辨别下列声母、韵母和声调

Distinguish the Following Initials , Finals and Tones

声母、韵母和声调 Initials , Finals and Tones			答案 Keys
xiǎo	xiào	xiù	xiào
qiǎ	qiè	qiē	qiè
qīng	qíng	qín	qíng
xīng	xīn	xìn	xìn
niào	niǎo	niù	niào
qū	qù	qú	qú
xù	xū	xǔ	xǔ
jī	jí	qí	qí
qí	qǐ	jǐ	qí
qià	qiǎ	jiǎ	jiǎ
jǐng	jìng	qǐng	jìng

第五课 现在几点？

二、辨音 Distinguish the Sounds

辨别下列声母、韵母和声调

Distinguish the Following Initials , Finals and Tones

声母、韵母和声调 Initials , Finals and Tones			答案 Keys
jūn	qūn	xūn	qūn
qún	xún	jún	jún
xuǎn	quǎn	juǎn	xuǎn
xuè	què	juè	juè
lüě	nüè	lüè	lüě
lüě	nüè	lüè	nüè
jué	qué	jié	jié
jiàn	quàn	xiàn	quàn
jūn	xūn	jīn	jūn
jǐ	qǐ	qǔ	qǔ
qì	jì	jù	jì

第六课　这件衬衣多少钱？

二、辨音 Distinguish the Sounds

辨别下列声母、韵母和声调

Distinguish the Following Initials , Finals and Tones

声母、韵母和声调 Initials , Finals and Tones			答案 Keys
wà	wò	wù	wù
kuài	kuì	kuī	kuì
gū	kū	hū	gū
zī	cī	sī	zī
cí	sí	zí	zí
sǐ	cǐ	zǐ	zǐ
cì	zì	sì	cì
hū	hù	hú	hù
kuā	kuà	kuǎ	kuǎ
guàn	guǎn	guān	guǎn
dūn	dùn	dún	dùn

第七课　今天几号？

二、辨音 Distinguish the Sounds

辨别下列声母、韵母和声调
Distinguish the Following Initials , Finals and Tones

声母、韵母和声调 Initials , Finals and Tones			答案 Keys
zài	zhì	zhèi	zhì
zhāng	zāng	chāng	zāng
zhēn	chēn	rēn	zhēn
rén	shén	chén	shén
sài	shài	zhài	zhài
sù	shù	rù	rù
shǒu	sǒu	zǒu	sǒu
shè	sè	cè	shè

第八课　您是哪国人？

二、辨音 Distinguish the Sounds

辨别下列声调 Distinguish the Following Tones

声调 Tones		答案 Keys
(ˉ ˊ ˇ)	(ˉ ˋ ˊ)	fēimáotuǐ
(ˇ ˋ ˊ)	(ˇ ˋ ˉ)	jiěfàngjūn
(ˋ ˋ ˉ)	(ˋ ˊ ˉ)	diànshìjī
(ˊ ˋ ˉ)	(ˇ ˋ ˉ)	dǎyìnjī
(ˇ ˊ ˋ)	(ˋ ˉ ˉ)	jiàokēshū
(ˊ ˊ ˊ)	(ˊ ˋ ˊ)	liánhéguó
(ˋ ˋ ˋ)	(ˋ ˇ ˋ)	dàjiǎngsài
(ˇ ˊ ˊ)	(ˇ ˊ ˋ)	huǒcháihé
(ˉ ˊ ˊ)	(ˉ ˊ)	zhījiayóu
(ˋ ˊ ˊ)	(ˇ ˊ ˊ)	yǎnjiémáo
(ˇ ˋ ˋ)	(ˇ ˊ ˊ)	yǔmáoqiú

第九课　他是谁？

二、辨音 Distinguish the Sounds

辨别下列声调 Distinguish the Following Tones

声调 Tones		答案 Keys
tóngshì	tóngzhì	tóngzhì
shǎnxī	shānxī	shǎnxī
hànzì	hànzi	hànzi
jiàoshī	jiàoshì	jiàoshì
yǎnjing	yǎnjìng	yǎnjing
shíyàn	shìyàn	shìyàn
yànhuì	yānhuī	yànhuì
ānjìng	ànjǐng	ānjìng
chūcuò	chùzuò	chūcuò
tóngzhì	tǒngzhì	tóngzhì
xìnxīn	xīnxìn	xìnxīn
mǎhu	mōhu	mōhu
wǎnshang	wánshǎng	wánshǎng

第十课　你能帮我一下吗？

二、辨音 Distinguish the Sounds

辨别下列声母 Distinguish the Following Initials

声母 Initials		答案 Keys
pǎo	bǎo	bǎo
líng	píng	píng
dèng	tèng	dèng
tōu	dōu	dōu
kù	gù	kù
gǔn	kǔn	gǔn
qiū	jiū	qiū
jìng	qìng	qìng
zhǔn	chǔn	chǔn
chàng	zhàng	zhàng
zì	cì	cì
zǎo	cǎo	zǎo
chǐ	zhǐ	chǐ

第十一课　问候

三、请将下列词语整理成正确的句子

Make up Sentences Using the Following Words.

1. 你哥哥身体好吗？
2. 他姐姐很好！
3. 今天天气好极了。
4. 我的工作很有意思。
5. 我不太忙。
6. 今天天气怎么样？
7. 你弟弟的身体真结实。
8. 你的工作太好了。

第十二课　谈学校

三、用带“吗”的形式将下列句子变成一般疑问句

Change the Following Sentences into General Questions with “吗”

1. 你有英国朋友吗？
2. 你们学校有研究所吗？
3. 李晓曼是越南人吗？
4. 林邦生有哥哥吗？
5. 今天冷吗？
6. 你累吗？
7. 你的工作有意思吗？

8. 你爸爸身体结实吗？
9. 同学们晚上去图书馆学习吗？
10. 你喜欢在体育馆锻炼身体吗？
11. 总经理抽烟吗？
12. 刘新是新加坡人吗？

第十三课　介绍

三、请将下列词语整理成正确的句子

Make up Sentences Using the Following Words.

1. 李晓曼的爸爸妈妈从里屋走出来。
2. 你家离学校真远。
3. 我介绍一下，这是我爸爸。
4. 你们真是一个大家庭。
5. 过节时我们才到一起团聚。
6. 这是我们家的影集。

第十四课 谈学习

三、请对下列带阴影部分，用适当的疑问代词提问

Make Questions to the Following Shaded Parts Using the Proper Interrogative Pronouns

1. 西瓜多少钱一斤？
2. 这条裤子多少钱？
3. 你们班有几门课？
4. 林邦生有几个哥哥？
5. 安娜什么时候毕业？
6. 你们的总经理是谁？
7. 李晓曼是谁？
8. 你是哪儿的学生？
9. 你朋友是哪儿人？
10. 她在哪儿学习？
11. 谁是他们单位的主任？

第十五课 在公共汽车站

三、把下列词语组成正确的句子

Make up Sentences Using the Following Words.

1. 我去英国上大学。
2. 请我们老师介绍介绍这个学校。

3. 我想去王府井逛逛。
4. 我每天去学校上课。
5. 我还没去过圆明园呢。
6. 我今天实在没工夫。
7. 我对这个专业一点儿也不清楚。
8. 我和她碰巧在汽车站相遇。

第十六课 我的大学

三、试比较下列两组句子的意思是否一样

Compare the Meanings of the Following Two Groups of Sentences

1. 一样	2. 不一样	3. 一样
4. 一样	5. 不一样	6. 一样
7. 一样	8. 不一样	

第十七课 谈语言

三、请在下列句子的括号里填上“会”或“能”

Fill in the Blanks with “会” or “能”

1. 这里不（能）抽烟。
2. 王忠不（会）打排球。
3. 她不（会）抽烟。
4. 我有工作，不（能）陪你玩儿。
5. 工作时间，不（能）去看电影。
6. 我不（会）滑冰。

第十八课　在农贸市场买东西

三、指出下列名词的对应量词

Choose the Correct Measure Words for the Following Nouns

个　件　斤　双　条　路　所　棵

西瓜：个，斤　　土豆：个，斤

鞋：双　　篮球：个

衬衣：件　　大衣：件

裙子：条　　围巾：条

裤子：条　　研究所：所

毛衣：件　　白菜：棵

第十九课 谈爱好

三、用正反疑问句改写下列句子

Rewrite the Following Sentences with the Affirmative-Negative Interrogative Sentence Pattern

1. 今天你忙不忙？
2. 今天冷不冷？
3. 你爸爸、妈妈身体好不好？
4. 你有没有中国朋友？
5. 他是不是你们的英语老师？

6. 你喜欢不喜欢打乒乓球?

7. 你会不会滑冰?

8. 她能不能看英文报纸?

9. 你买不买黄瓜?

10. 你们早上锻炼不锻炼身体?

11. 你认识不认识安娜?

第二十课 综合测验

一、听录音把下列拼音中缺少的部分填写出来

Listen to the Recording and Fill in the Blanks

1．听后填入正确的声母

Fill in the Blanks with the Right Initials after Listening to the Recording

拼音 *Pinyin*	录音 Recording	答案 Keys
dì( )ú	地图	t
( )uǒchē	火车	h
nǔ( )ì	努力	l
( )ùmù	树木	sh
lǐ( )àng	礼让	r
shì( )iè	世界	j
( )īng( )én	精神	j,sh
( )ǐ( )ǔ	耻辱	ch,r
( )ū( )í	书籍	sh,j
( )àng( )i	胖子	p,z
( )ē( )ué	科学	k,x
( )ōng( )uò	工作	g,z
( )ǔ( )in	母亲	m,q
( )iàn( )uà	电话	d,h
( )iāng ( )iāo	香蕉	x,j

2. 听后填入正确的韵母

Fill in the Blanks with the Right Finals after Listening to the Recording

拼音 *Pinyin*	录音 Recording	答案 Keys
d( )bào	电报	iàn
sh( )huó	生活	ēng
sh( )zi	刷子	uā
bàozh( )	报纸	ǐ
táiq( )	台球	iú
sh( )j( )	实际	í,ì
f( )zh( )	服装	ú,uāng
f( )d( )	饭店	àn,iàn
b( )g( )	表格	iǎo,é
h( )p( )	花盆	uā,én
b( )p( )	并排	ìng,ái
h( )h( )	火红	uǒ,óng
g( )zh( )	贵州	uì,ōu
j( )y( )	教育	iào,u
zh( )t( )	枕头	ěn,ou

3．听后填入正确的声调
Fill in the Blanks with the Right Tones after Listening to the Recording

拼音 *Pinyin*	录音 Recording	答案 Keys
bangong	办公	4，1
biji	笔记	3，4
kaishi	开始	1，3
qiantian	前天	2，1
guangpan	光盘	1，2
kunnan	困难	4，0
haizi	孩子	2，0
kongtiao	空调	1，2
shujia	书架	1，4
caifu	财富	2，4
mingsheng	名胜	2，4
cidian	词典	2，3
meili	美丽	3，4
renzhen	认真	4，1
yanjing	眼镜	3，4

二、给下列词语填上汉语拼音
Write Chinese Pinyin for the Following Words

汉语词汇 Chinese Words	答案 Keys	汉语词汇 Chinese Words	答案 Keys
结实	jiēshi	优良	yōuliáng
食堂	shítáng	困难	kùnnan
公园	gōngyuán	电车	diànchē
计算机	jìsuànjī	乒乓球	pīngpāngqiú
词典	cídiǎn	设备	shèbèi
报纸	bàozhǐ	容易	róngyì
代表团	dàibiǎotuán	洗衣店	xǐyīdiàn
交通	jiāotōng	石油	shíyóu
影集	yǐngjí	理发馆	lǐfàguǎn
游泳池	yóuyǒngchí	电影厅	diànyǐngtīng

三、选择适当的量词或介词填空

Fill in the Blanks with the Proper Measure Words or Prepositions

件　　双　　条　　所　　门

1. 这（件）毛衣真好看。
2. 这（条）黄瓜很新鲜。
3. 我想买这（条）裙子。
4. 这（双）鞋是爸爸的。
5. 这是姑姑买的那（件）衬衣。
6. 我妈妈在这（所）大学工作。
7. 我们班有五（门）功课。
8. 那（条）裤子很不错。

层　　棵　　种　　个

1. 我买这（棵）白菜。
2. 我姐姐是那（个）公司的总经理。
3. 我们的宿舍楼是20（层）楼。
4. 这（种）香蕉不贵，可是很好吃。
5. 我喜欢看这（种）报纸。
6. 学校东边有一（个）篮球场和一（个）游泳池。

从　离　对　在　给　跟

1. 清华大学（离）北京大学不太远。
2. 我喜欢（在）宿舍看电视，或者（跟）朋友聊天。
3. 我（对）北京的交通一点儿也不清楚，你能（给）我介绍一下吗？
4. 他不认识路，你（跟）他一起去吧。
5. 我（对）运动不感兴趣，我喜欢集邮。
6. 我毕业后一直（在）这家公司工作。
7. 李晓曼的爸爸妈妈（从）里屋走出来。

四、听录音选择正确答案（文字部分）

Choose the Correct Answers after Listening to the Recording (Verbal Part)

8	85	95	62	2	9	73	31	6	7
3	10	4	5	1	20	12	11	54	100

1. 你们班有多少学生？—— 我们班有(20)个学生。
2. 几个老师教你们？—— (4)个老师教我们。
3. 你有几个姐姐？—— 我有(1)个姐姐。
4. 你买了多少苹果？—— 我买了(6)个苹果。
5. 这条裤子多少钱？—— 这条裤子(85)块钱。
6. 那条裙子多少钱？—— 那条裙子(100)块钱。
7. 这双鞋多少钱？—— 这双鞋(62)块钱。
8. 今天星期几？—— 今天星期(5)。
9. 你们有几节课？—— 我们有(5)节课。
10. 到汽车站有多远？—— 到汽车站有(2)公里。
11. 你们学校有几个篮球场？—— 我们学校有(8)个篮球场。
12. 您要几棵白菜？—— 我要(3)棵白菜。

五、听录音选择正确答案（图画部分）

Choose the Correct Answers after Listening to the Recording (Visual Part)

1. 你星期天做什么？—— 我星期天休息。

A.

2. 你下午4点做什么？ —— 我下午4点锻炼身体。

3. 他在哪儿抽烟呢？ —— 他在宿舍里抽烟呢。

4. 他们在哪儿上课？ —— 他们在教室里上课。

5. 他在哪儿工作？ —— 他在大学工作。

B.

6. 他怎么去王府井？ —— 他坐地铁去王府井。

B.

7. 小李陪谁聊天呢？ —— 她陪她妈妈聊天呢。

D.

8. 安娜在宿舍里做什么呢？—— 她在查词典呢。

A.

9. 马力什么时候起床？ —— 他每天6点半起床。

B.

10. 你去哪儿？ —— 我去图书馆。

C. 

词汇总表

A

啊(啊)	*interj.*	ā	*used at the end of a sentence to emphasize the tone*	15
爱好(愛好)	*n.*	àihào	hobby	19
安静(安靜)	*adj*	ānjìng	quiet	16

B

八(八)	*num.*	bā	eight	4
八月(八月)	*n.*	bāyuè	August	7
吧(吧)	*interj.*	ba	*used at the end of a sentence to emphasize the tone*	15
爸爸(爸爸)	*n.*	bàba	dad; father	1
白菜(白菜)	*n.*	báicài	Chinese cabbage	18
百(百)	*num.*	bǎi	hundred	6
班(班)	*n.*	bān	class	9
办事(辦事)	*v.*	bànshì	handle affairs	15
办公楼(辦公樓)	*n.*	bàngōnglóu	office building	3
半(半)	*num.*	bàn	half	5
帮(幫)	*v.*	bāng	help	10
报纸(報紙)	*n.*	bàozhǐ	newspaper	17
北边(北邊)	*n.*	běibian	north	16
北京人(北京人)	*n.*	Běijīngrén	native in Beijing	18

毕业(畢業)	*v.*	bìyè	graduate	11
伯父(伯父)	*n.*	bófù	uncle	13
伯母(伯母)	*n.*	bómǔ	aunt	13
不(不)	*adv.*	bù	no; not	11
不错(不錯)		bú cuò	not bad	2

C

才(才)	*adv.*	cái	just	13
材料(材料)	*n.*	cáiliào	material	16
菜(菜)	*n.*	cài	vegetable	18
层(層)	*m.*	céng	floor; storey	16
查(查)	*v.*	chá	look into	17
茶(茶)	*n.*	chá	tea	13
差(差)	*prep.*	chà	to *(when referring to time)*	5
尝(嘗)	*v.*	cháng	taste; try	18
常(常)	*adv.*	cháng	often	12
车(車)	*n.*	chē	bus; car	15
衬衣(襯衣)	*n.*	chènyī	shirt	6
称呼(稱呼)	*v., n.*	chēnghu	call; you are called...	8
城(城)	*n.*	chéng	city; town	15
抽烟(抽烟)	*v.*	chōuyān	smoke	10
出版(出版)	*v.*	chūbǎn	publish	19
出差(出差)	*v.*	chūchāi	go on a business trip	11
出来(出來)	*v.*	chūlái	come out from	13
词典(詞典)	*n.*	cídiǎn	dictionary	17

次(次)	*m.*	cì	measure word	11
从(從)	*prep.*	cóng	from	13

D

打(打)	*v.*	dǎ	play	12
大(大)	*adj.*	dà	bi; large	12
大家(大家)	*pron.*	dàjiā	everybody	12
大街(大街)	*n.*	dàjiē	avenue; street	11
大量(大量)	*adj.*	dàliàng	plenty of	16
大型(大型)	*adj.*	dàxíng	big	16
大学(大學)	*n.*	dàxué	university	11
大衣(大衣)	*n.*	dàyī	overcoat	6
代(代)	*v.*	dài	replace; stand for	11
代表团(代表團)	*n.*	dàibiǎotuán	delegation	17
单位(單位)	*n.*	dānwèi	unit (in measurement or	9
			organization)	17
担任(擔任)	*v.*	dānrèn	act as	11
但(但)	*conj.*	dàn	but	11
当(當)	*v.*	dāng	become	16
当然(當然)	*adv.*	dāngrán	of course; certainly	13
到(到)	*v.*	dào	arrive; reach	
得(得)	*aux.*	de	*used after a verb to indicate*	11
			the degree	10
的(的)	*aux.*	de	of	3

E

F

G

个(個)	*m.*	gè	*a measurement word for a person, an apple, etc.*	4
给(給)	*prep.*	gěi	to; for	15
跟(跟)	*prep.*	gēn	and	15
工厂(工廠)	*n.*	gōngchǎng	factory	9
工夫(工夫)	*n.*	gōngfu	time	15
工作(工作)	*n., v.*	gōngzuò	job; work	11
公司(公司)	*n.*	gōngsī	company	9
公园(公園)	*n.*	gōngyuán	park	15
功课(功課)	*n.*	gōngkè	homework	12
姑姑(姑姑)	*n.*	gūgu	aunt *(father's sister)*	13
逛(逛)	*v.*	guàng	stroll	15
贵姓(貴姓)	*n.*	guìxìng	surname *(used in a question as a polite form)*	8
国(國)	*n.*	guó	country	8
过(過)	*aux.*	guò	*an auxiliary word used after a verb to form the past tense*	15
过(過)	*v.*	guò	spend; celebrate	13

H

好(好)	*adj.*	hǎo	good	1
好(好)	*adv.*	hǎo	very; well	11
号(號)	*m.*	hào	date	7
喝(喝)	*v.*	hē	drink	13
和(和)	*conj.*	hé	and	11

J

K

开(開)	*v.*	kāi	drive	10
开始(開始)	*v.*	kāishǐ	begin; start	14
看(看)	*v.*	kàn	watch; see; look at	12
看上去(看上去)	*v.*	kànshàngqù	look like	18
棵(棵)	*m.*	kē	*a measure word for a tree, a cabbage, etc.*	18
可是(可是)	*conj.*	kěshì	but	17
可惜(可惜)	*adj.*	kěxī	pitiful	19
可以(可以)	*v.*	kěyǐ	can; may	10
刻(刻)	*m.*	kè	quarter	5
课(課)	*n.*	kè	course	12
口福(口福)	*n.*	kǒufú	the enjoyment of good food	
口语(口語)	*n.*	kǒuyǔ	spoken language	18
块(塊)	*m.*	kuài	*kuai, used in the oral language as yuan*	14
会计(會計)	*n.*	kuàijì	accountant	6
快(快)	*adj.*	kuài	fast; rapid; soon	9
困难(困難)	*adj.*	kùnnan	difficult	13
				17

L

来(來)	*v.*	lái	come	13
篮球(籃球)	*n.*	lánqiú	basketball	12
篮球场(籃球場)	*n.*	lánqiúchǎng	basketball field	16
老百姓(老百姓)	*n.*	lǎobǎixìng	civilians	15
老师(老師)	*n.*	lǎoshī	teacher	1
类(類)	*m.*	lèi	sort; category	19
累(累)	*adj.*	lèi	tired	2
冷(冷)	*adj.*	lěng	cold	2
离(離)	*prep.*	lí	to; away from	13
里(裏)	*n*	lǐ	inside	12
里屋(裏屋)	*n.*	lǐwū	inner room	13
理发馆(理髮館)	*n.*	lǐfàguǎn	barbershop	16
荔枝(荔枝)	*n.*	lìzhī	lichee	3
两(兩)	*num.*	liǎng	two	4
聊天(聊天)	*v.*	liáotiān	chat	12
了(了)	*aux.*	le	*an auxiliary word used after a verb to form the past tense*	11
领导(領導)	*n.*	lǐngdǎo	leader	9
六(六)	*num.*	liù	six	4
六月(六月)	*n.*	liùyuè	June	7
路(路)	*m.*	lù	measure word	15

M

妈妈(媽媽)	*n.*	māma	mother; mom	1
马上(馬上)	*adv.*	mǎshàng	at once	13
吗(嗎)	*aux.*	ma	*used at the end of a sentence to make it a general question*	1
买(買)	*v.*	mǎi	buy	18
卖(賣)	*v.*	mài	sell	18
忙(忙)	*adj.*	máng	busy	2
毛(毛)	*m.*	máo	*mao, used in the oral language as jiao (1/10 yuan)*	6
毛衣(毛衣)	*n.*	máoyī	sweater	6
贸易(貿易)	*n.*	màoyì	trade	17
没(没)	*adv.*	méi	no; not	15
每(每)	*pron.*	měi	every; each	14
每天(每天)	*n.*	měitiān	everyday	5
妹妹(妹妹)	*n.*	mèimei	younger sister	1
门(門)	*m.*	mén	*a measurement word for a course*	12
秘书(秘書)	*n.*	mìshū	secretary	9
名胜古迹(名勝古迹)	*n.*	míngshènggǔjì	place of historic interest	14
名字(名字)	*n.*	míngzi	name	8
明年(明年)	*n.*	míngnián	next year	14

N

哪(哪)	*pron.*	nǎ	what; which; where	8
哪儿(哪兒)	*pron.*	nǎr	where	11
那(那)	*conj.*	nà	then	17
那(那)	*pron.*	nà	that	3
那儿(那兒)	*pron.*	nàr	there	12
那里(那裏)	*n.*	nàli	there	16
耐心(耐心)	*adj.*	nàixīn	patient	17
南边(南邊)	*n.*	nánbian	south	16
难(難)	*adj.*	nán	difficult	14
能(能)	*v.*	néng	can	10
你(你)	*pron.*	nǐ	you	1
你们(你們)	*pron.*	nǐmen	you (*pl.*)	9
年级(年級)	*n.*	niánjí	grade	14
鸟类(鳥類)	*n.*	niǎolèi	birds	19
您(您)	*pron.*	nín	you	8
农贸市场(農貿市場)	*n.*	nóngmào shìchǎng	farmers' market	18
努力(努力)	*adj.*	nǔlì	hard-working	2

O

偶然(偶然)	*adv.*	ǒurán	by chance	11

P

爬山(爬山)	*n.*	páshān	mountain climbing	19
排球场(排球場)	*n.*	páiqiúchǎng	volleyball field	16
旁边(旁邊)	*n.*	pángbiān	side	16
跑步(跑步)	*n.*	pǎobù	jogging	19
陪(陪)	*v.*	péi	accompany	15
朋友(朋友)	*n.*	péngyou	friend	1
碰巧(碰巧)	*adv.*	pèngqiǎo	by chance	15
乒乓球(乒乓球)	*n.*	pīngpāngqiú	table tennis; ping pong	12
平时(平時)	*n.*	píngshí	in narmal time	13
苹果(蘋果)	*n.*	píngguǒ	apple	3

Q

七(七)	*num.*	qī	seven	4
七月(七月)	*n.*	qīyuè	July	7
起床(起床)	*v.*	qǐchuáng	get up	5
起来(起來)	*v.*	qǐlái	up; rise up	13
汽车(汽車)	*n.*	qìchē	car	10
汽车站(汽車站)	*n.*	qìchēzhàn	bus stop	15
前边(前邊)	*n.*	qiánbian	front	16
钱(錢)	*n.*	qián	money	6
清楚(清楚)	*adj.*	qīngchu	clear	15
清早(清早)	*n.*	qīngzǎo	early morning	18
请(請)	*v.*	qǐng	please	11

去(去)	*v.*	qù	go	12
去年(去年)	*n.*	qùnián	last year	14
裙子(裙子)	*n.*	qúnzi	skirt	6

R

热(熱)	*adj.*	rè	hot	2
热情(熱情)	*adj.*	rèqíng	enthusiastic; passionate	17
人(人)	*n.*	rén	person; people	8
认识(認識)	*v.*	rènshi	know; recognize	17
认真(認真)	*adj.*	rènzhēn	earnest	2
容易(容易)	*adj.*	róngyì	easy	17

S

三(三)	*num.*	sān	three	4
三月(三月)	*n.*	sānyuè	March	7
山水画(山水畫)	*n.*	shānshuǐhuà	landscape painting	19
商店(商店)	*n.*	shāngdiàn	shop; store	16
上(上)	*prep.*	shàng	on	11
上班(上班)	*v.*	shàngbān	go to work	5
上课(上課)	*v.*	shàngkè	class begins	5
少(少)	*adj.*	shǎo	few; little	12
设备(設備)	*n.*	shèbèi	equipment; facility	12
设施(設施)	*n.*	shèshī	facility	16
身体(身體)	*n.*	shēntǐ	body; health	1

宿舍(宿舍)	*n.*	sùshè	dormitory	12
宿舍楼(宿舍樓)	*n.*	sùshèlóu	dormitory building; lodging house	3
酸(酸)	*adj.*	suān	sour	18
所(所)	*m.*	suǒ	*a measurement word for a school, a hospital etc.*	11

T

他(他)	*pron.*	tā	he; him	9
她(她)	*pron.*	tā	she; her	9
他们(他們)	*pron.*	tāmen	they	1
台球(臺球)	*n.*	táiqiú	billiards	19
太(太)	*adv.*	tài	too	2
摊位(攤位)	*n.*	tānwèi	booth	18
谈话(談話)	*v.*	tánhuà	have a conversation	15
谈判(談判)	*v.*	tánpàn	negotiate	17
桃子(桃子)	*n.*	táozi	peach	3
特别(特別)	*adv.*	tèbié	especially	14
提高(提高)	*v.*	tígāo	improve	17
提供(提供)	*v.*	tígōng	provide	16
体育(體育)	*n.*	tǐyù	physical education	14
体育馆(體育館)	*n.*	tǐyùguǎn	gymnasium	3
天(天)	*n.*	tiān	day	14
天气(天氣)	*n.*	tiānqì	weather	2
甜(甜)	*adj.*	tián	sweet	18

条(條)	*m.*	tiáo	*a measure word for a fish, a pair of pants, etc.*	6
听力(聽力)	*n.*	tīnglì	listening comprehension	14
听说(聽説)	*v.*	tīngshuō	hear of; hear about	15
挺(挺)	*adv.*	tǐng	quite	19
同事(同事)	*n.*	tóngshì	colleague	1
同学(同學)	*n.*	tóngxué	classmate	1
图书馆(圖書館)	*n.*	túshūguǎn	library	3
土豆(土豆)	*n.*	tǔdòu	potato	18
团聚(團聚)	*v.*	tuánjù	reunite; get together	13

W

外贸(外貿)	*n.*	wàimào	foreign trade	11
玩(玩)	*v.*	wán	play	13
晚饭(晚飯)	*n.*	wǎnfàn	dinner; supper	12
晚上(晚上)	*n.*	wǎnshang	evening; night	5
为(爲)	*prep.*	wèi	in order to; for	17
为什么(爲什麽)	*pron.*	wèi shénme	why	14
围巾(圍巾)	*n.*	wéijīn	scarf	6
文化(文化)	*n.*	wénhuà	culture	17
文学(文學)	*n.*	wénxué	literature	14
问候(問候)	*v.*	wènhòu	send one's regards to	11
我(我)	*pron.*	wǒ	I; me	2
我们(我們)	*pron.*	wǒmen	we; us	9
五(五)	*num.*	wǔ	five	4

五月(五月)	*n.*	wǔyuè	May	7
午饭(午飯)	*n.*	wǔfàn	lunch	14

X

西边(西邊)	*n.*	xībian	west	16
西瓜(西瓜)	*n.*	xīguā	watermelon	3
西红柿(西紅柿)	*n.*	xīhóngshì	tomato	18
西郊(西郊)	*n.*	xījiāo	western suburb	16
洗衣店(洗衣店)	*n.*	xǐyīdiàn	laundry shop	16
喜欢(喜歡)	*v.*	xǐhuan	like	12
系(系)	*n.*	xì	department	14
下班(下班)	*v.*	xiàbān	go off work	5
下课(下課)	*v.*	xiàkè	class is over	5
下午(下午)	*n.*	xiàwǔ	afternoon	14
先(先)	*adv.*	xiān	firstly; at first	15
先进(先進)	*adj.*	xiānjìn	advanced	12
现在(現在)	*n.*	xiànzài	now	5
相当(相當)	*adv.*	xiāngdāng	quite	12
相遇(相遇)	*v.*	xiāngyù	meet; encounter	11
香蕉(香蕉)	*n.*	xiāngjiāo	banana	3
想(想)	*v.*	xiǎng	think	15
向(向)	*prep.*	xiàng	toward	18
小卖部(小賣部)	*n.*	xiǎomàibù	small shop; snack counter	16
些(些)	*m.*	xiē	some	3
鞋(鞋)	*n.*	xié	shoe	6

谢谢(謝謝)	*v.*	xièxie	thank	11
新(新)	*adj.*	xīn	new	12
新鲜(新鮮)	*adj.*	xīnxiān	fresh	18
兴趣(興趣)	*n.*	xìngqù	interest	19
星期二(星期二)	*n.*	xīngqī'èr	Tuesday	7
星期六(星期六)	*n.*	xīngqīliù	Saturday	7
星期日／星期天(星期日／星期天)	*n.*	xīngqīrì/xīngqītiān	Sunday	7
星期三(星期三)	*n.*	xīngqīsān	Wednesday	7
星期四(星期四)	*n.*	xīngqīsì	Thursday	7
星期五(星期五)	*n.*	xīngqīwǔ	Friday	7
星期一(星期一)	*n.*	xīngqīyī	Monday	7
行(行)	*interj.*	xíng	OK; all right	18
姓(姓)	*v.*	xìng	surname	8
休息(休息)	*v.*	xiūxi	have a rest	14
学生(學生)	*n.*	xuésheng	student	12
学校(學校)	*n.*	xuéxiào	school	9
学院(學院)	*n.*	xuéyuàn	institute; academy	17

Y

呀(呀)	*interj.*	ya	*used at the end of a sentence*	13
研究所(研究所)	*n.*	yánjiūsuǒ	graduate school; academy	9
研究员(研究員)	*n.*	yánjiūyuán	researcher	9

种类(種類)	*n.*	zhǒnglèi	kind; type	18
主任(主任)	*n.*	zhǔrèn	director	9
住(住)	*v.*	zhù	live	13
专业(專業)	*n.*	zhuānyè	major	14
准(準)	*adv.*	zhǔn	certainly	18
资料(資料)	*n.*	zīliào	material	16
总经理(總經理)	*n.*	zǒngjīnglǐ	general manager	9
走(走)	*v.*	zǒu	walk; go	13
最(最)	*adv.*	zuì	most	12
坐(坐)	*v.*	zuò	sit; sit down	13
做(做)	*v.*	zuò	do	14

专有名词
Proper Nouns